FRANCOPHONIE
ET MONDIALISATION

Collection « Les Essentiels d'Hermès »
dirigée par Dominique Wolton

Directeur de la publication
Dominique Wolton

Responsable de la collection
Éric Dacheux

Secrétariat de rédaction
Catherine Prioul

CNRS ÉDITIONS, Paris, 2008
ISBN : 978-2-271- 06721-0

FRANCOPHONIE
ET
MONDIALISATION

Coordonné par
Anne-Marie Laulan et Didier Oillo

Depuis plus de vingt ans, la revue du CNRS *Hermès* est le témoin des formidables mutations de la communication. À travers des centaines et des centaines d'articles, plus de mille auteurs ont contribué à la construction d'un nouveau champ de connaissance au-delà des discours techniques, économiques et politiques. Ce patrimoine constitue une irremplaçable base de données scientifiques sur l'état de la recherche dans les domaines de l'information, la communication, la culture, les sciences et la politique. C'est ainsi que, pour les sciences de la communication, ont été abordés depuis 1988 des concepts essentiels : espace public ; communication politique ; réception ; opinion publique ; identité ; audience ; diversité culturelle ; systèmes d'information ; société de la connaissance ; mondialisation de la communication ; rituels ; expertises et communication scientifique ; argumentation ; journalisme ; critique de la raison numérique…

Inscrite dans le sillage de la revue, la collection *Les Essentiels d'Hermès* souhaite faciliter l'accès de tous à cette recherche contemporaine. En format de poche, chaque ouvrage construit autour d'un thème propose un dossier permettant au lecteur d'accéder aux textes fondateurs des auteurs d'*Hermès* :
– en introduction, une synthèse inédite fournit les points de repère, et actualise les enjeux ;
– les problématiques ainsi dégagées sont instruites par une sélection des articles publiés dans la revue, articles retravaillés (coupes, nouveaux sous-titres, etc.)
– des outils aident à la compréhension des textes : présentation des articles, glossaire, bibliographie sélective d'une quinzaine d'ouvrages de base.

Le but est de donner envie au lecteur d'en savoir plus.

Chacun des *Essentiels* a pour ambition d'ouvrir les portes donnant accès à une recherche de qualité. Un accès direct à la science, pour réfléchir en conscience. Une volonté de rapprocher communication, savoirs et connaissances.

Dominique Wolton

htpp://irevues.inist.fr/hermes
htpp://www.wolton.cnrs.fr

SOMMAIRE

Présentation générale

La Francophonie, fer de lance de la bataille pour la diversité des expressions culturelles

Anne-Marie Laulan
et Didier Oillo

La Francophonie regroupe près de 60 pays (*cf.* encadré) représentant 500 millions de personnes dont un peu moins de la moitié parle le français. Dans son sens premier, le mot francophonie désignait « l'ensemble des gens ayant dans le monde le français comme langue maternelle ou seconde », mais de nos jours, la Francophonie ne se réduit pas à la promotion de la langue française. En effet, la Francophonie a été voulue par des chefs d'État indépendants (Senghor, Sénégal ; Diori, Niger ; Bourguiba, Tunisie ; etc.) qui cherchaient à défendre, en même temps que la langue, des intérêts économiques, politiques et culturels communs.

Effectivement, la dérive vers une hégémonie linguistique est un risque que la Francophonie a su éviter.
Elle défend depuis son origine les langues partenaires,
prône le multilinguisme car le monde aujourd'hui plus
ouvert grâce aux moyens de communication modernes
est aussi plus cruel, plus compétitif voire ségrégation-
niste. Une de ses originalités est qu'elle constitue un
lieu privilégié d'expression et de renforcement de la
diversité des cultures et des langues qui la composent
et qui fondent son projet de solidarité. Il est cependant
important qu'elle évite deux écueils que la procédure
l'emporte sur le fond, que la technique l'emporte sur
le politique. Cela semble être le cas actuellement, car,
de nos jours, adhérer à l'Organisation internationale
de la francophonie (OIF) représente, surtout, le partage de valeurs culturelles, démocratiques et une alter-
native à l'hégémonie économique et à la pensée unique. D'où le soutien apporté par la Francophonie au
combat en faveur de la diversité des expressions culturelles définie par une convention de l'Unesco en 2005.

La signature, à la quasi-unanimité des États
membres de l'Unesco, de cette Convention, fut qualifiée par certains de « mièvrerie ». Certes, ce texte
représente l'aboutissement d'un combat lent (plus de
trente ans) entre partisans faibles économiquement
mais motivés moralement, et d'autres acteurs hégémoniques, disposant de l'appareil de production, de diffusion, avec tout le capital cognitif et symbolique que

des Sud vers les Nord, connaissent eux aussi des trajectoires en spirale : les Émirats accueillent des populations d'origines distinctes, spécifiques pour tel type d'emploi. Des mutations qualifiées de silencieuses se rencontrent en Afrique, du fait des migrations internes et de l'urbanisation croissante. L'élévation vertigineuse de la croissance en Chine suscite des besoins culturels inédits, impensables jusqu'ici, au sein de la population et dote ses ressortissants, à l'extérieur d'une réputation d'envahisseurs, qu'il s'agisse d'objets de consommation ou d'artisanat. En résumé, de nouveaux empires apparaissent, reléguant aux oubliettes les schémas classiques concernant les Civilisations, les grandes Cultures, et par voie de conséquence, les contours de la « barbarie », ou les frontières des Arts premiers.

Les institutions ne peuvent bien évidemment demeurer à l'écart de ces changements, mais la lenteur du fonctionnement amène parfois à rendre caduque une programmation qui n'aura pu atteindre son terme avant que l'objectif initial ne devienne obsolète. Il en va ainsi pour le (pseudo) concept de Société de l'information, conçu en Occident, planifié par l'Union Internationale des Télécommunications. Avant même la tenue du Sommet mondial, en Tunisie (2005), le nombre et le poids des pays émergents (Brésil, Inde, Chine par exemple), ainsi que la mobilisation de la société civile, faisaient éclater l'idée même d'« une » société, ruinaient les espoirs d'une gouvernance unique de l'Internet, apportaient la preuve concrète des multiples appropriations des outils de connaissance et de culture. Voix multiples, un seul monde, proclamait Sean Mc Bride, au temps de la guerre froide. Mais au XXIᵉ siècle, le monde lui-même affiche ses différences, se complait dans l'affirmation de sa diversité.

Le courant, particulièrement fort dans la France des Lumières, d'un universalisme proclamé, n'échappe pas aux interrogations internes. Citons en quelques-unes, dans la seule année écoulée : d'abord un colloque, au Sénat, organisé conjointement par divers Ministères sur le rôle de l'éducation à la diversité culturelle (février 2007), preuve d'une remise en question d'éducation traditionnelle de notre pays centralisateur et jacobin.

La Commission nationale française organise presque simultanément un colloque sur *L'éducation aux médias*, annonçant un « changement d'échelle » en juin 2007, et au siège de l'Unesco, un autre plus épistémologique, intitulé *Connaître et comprendre nos sociétés : universalisme scientifique et diversité culturelle*. Tour à tour, mathématiciens, économistes, juristes, philosophes tentent de démonter la part de « construction sociétale » de concepts qui semblaient universels. La revue Diogène (n° 219, 2007) publie quelques extraits de ces grands moments de déconstruction. En

fin d'année, au Musée du quai Branly, un autre colloque fait appel à des historiens et des politologues pour
observer la présence du passé et des mémoires sur les
sociétés du monde contemporain. Des observations
fines, de longue durée, par des chercheurs souvent
autochtones, révèlent une fois encore la complexité
des imbrications de la mémoire, de l'histoire familiale
ou ethnique, confrontée à la modernité, à d'autres
styles de vie, d'autres valeurs. Une fois encore, la
mémoire des dominés, la mémoire des déplacés, fait
« danser les lignes de vie », loin de tout déterminisme.
La conclusion traduit bien la perplexité des politologues quand ils se demandent « que faire du
XXe siècle ? », apportant des réponses diverses devant
les erreurs, les horreurs, les insouciances écologiques
dont les générations futures vont devoir supporter les
frais.

Passer en revue les initiatives intellectuelles qui
découlent de la Convention sur l'expression des diversités culturelles démontre s'il en était besoin, que loin
des mièvreries, l'institution internationale en charge de
la culture nous impose à tous, êtres humains, européens, nantis ou démunis, une incroyable révolution
copernicienne, déstabilisante, pleine d'incertitudes,
de risques. Le rôle des intellectuels s'avère essentiel
pour ce défi du nouveau millénaire, mais, de surcroît,
l'observation des pratiques citoyennes, des initiatives endogènes s'avère un facteur important pour

l'amélioration du niveau de vie, l'accès au bien être matériel tout autant qu'identitaire, pour tracer ce nouveau chemin. Chaque nation doit demeurer fidèle à ses valeurs fondamentales, en même temps qu'ouverte à la modernité, au partage des savoirs, à l'appropriation des nouvelles technologies. Les rencontres, débats, forum qui se multiplient autour de la construction d'une Union euro-méditerranéenne, se fondent sur la recherche des valeurs communes, des menaces communes (montée en puissance économique d'autres nations), dans une volonté de partage et de réciprocité. L'universitaire gabonais Bonaventure Mvé-Ondo écrit : « l'Afrique ne peut se développer que si elle accepte de se dépasser, de réussir la greffe entre ce qu'elle est et ce qui lui vient d'ailleurs » (in *Afrique*, « la fracture scientifique », Futuribles, 2003). Cette interpellation concerne probablement toutes les contrées, car le processus de mondialisation tout comme le réchauffement climatique ne permet à personne de se mettre à l'écart. L'expérience, déjà ancienne, de la Francophonie apporte ici de précieuses observations, généralisables à d'autres aires culturelles, bien évidemment.

La francophonie d'Onésime Reclus, terme qui apparaît pour la première fois dans son ouvrage *France, Algérie et colonies*, était construite autour du concept d'élargissement de la France à travers la colonisation. Il appelait à bâtir une « Afrique française », unifiée par « la diffusion de la langue nationale ». La Francophonie, dont la majuscule fut mise à Dakar par François Mitterrand, fruit de l'Histoire, a changé, elle s'inscrit désormais dans la mondialisation. Elle se veut une chance pour cette mondialisation qui apparaît aux peuples comme exclusive, inhumaine ; elle se plaît à se définir également comme un nouveau non-alignement. Les distances physiques et surtout culturelles seraient effacées par un effort de cohabitation dans le respect de la diversité des peuples qui composent ce nouveau continent virtuel comme le nommait Christian Valantin, alors représentant du président Diouf dans les instances du premier Sommet.

Très tôt, les pères fondateurs de la Francophonie que furent Bourghiba, Diori, Senghor, Sihanouk, Hélou, etc., ont eu l'intuition que le partage d'une langue commune permettrait l'édification de valeurs communes et que les ruines de la splendeur coloniale pourraient servir de terreau à une autre vision du monde. C'est à partir de cette vision de l'origine que s'est construite, de Sommet en Sommet, une ressource politique riche de l'apport des peuples pouvant donner à la mondialisation un sens nouveau. De la diversité, la Francophonie a tiré l'art d'apprivoiser la mondialisation afin de permettre aux peuples de construire leur propre vision du monde.

Mais la Francophonie n'est pas seulement celle des États et gouvernements, c'est aussi celle des villes, des parlementaires et surtout des scientifiques qui, à travers l'Agence universitaire de la Francophonie, forte de près de 700 membres rayonnent mondialement notamment par les campus numériques francophones installés dans les grandes universités du Sud. Le décloisonnement numérique associé à la solidarité universitaire permet aux universités de faire face à la globalisation du « marché de l'éducation » et à l'apparition d'entités nouvelles, placées délibérément dans l'espace commercial.

Cependant, malgré ses ramifications étatiques et universitaires mondiales, en dépit de son combat essentiel pour la diversité culturelle à l'échelle du globe, la Francophonie reste très largement méconnue. C'est pour combler ce déficit de connaissance que la revue *Hermès* avait consacré un numéro double à ce sujet passionnant. Cet *Essentiel* est un florilège de textes parus en 2004 dans ce numéro double intitulé « Francophonie et Mondialisation ». Dans un premier temps, on examine la Francophonie comme un enjeu clef de la diversité culturelle du monde (D. Wolton, P. Meyer-Bisch, A.-M. Laulan). Puis cet « Essentiel » se penche sur les relations entre les nouvelles technologies et le fonctionnement traditionnel des sociétés (M. Arnaud, A. Kiyindou) ; il en ressort que loin d'être un danger, les TIC peuvent renforcer la cohésion sociale et favoriser le développement. Cependant, on ne peut ignorer les contradictions et les paradoxes de la Francophonie tant pour l'Afrique (B. Mvé-Ondo) que pour les très réelles menaces sur la diversité linguistique (L.-J. Calvet). Ce recueil s'achève par une réflexion prospective de D. Wolton sur le devenir de la Francophonie.

La Francophonie : carte d'identité

Origine

L'Agence de coopération culturelle et technique (ACCT) est instituée le 20 mars 1970 à Niamey sous l'impulsion des présidents Léopold Sédar Senghor, Hamani Diori, Habib Bourguiba et du Prince Norodom Sihanouk.

Objectifs

« La Francophonie, consciente des liens que crée entre ses membres le partage de la langue française et souhaitant les utiliser au service de la paix, de la coopération et du développement, a pour objectifs d'aider :
– à l'instauration et au développement de la démocratie, à la prévention des conflits et au soutien à l'état de droit et aux droits de l'Homme ;
– à l'intensification du dialogue entre les cultures et les civilisations ;

– au rapprochement des peuples par leur connaissance mutuelle ;
– au renforcement de leur solidarité par des actions de coopération multilatérale en vue de favoriser l'essor de leurs économies ». (*Article 1. Objectifs. Charte de la Francophonie.*)

Population concernée

L'Organisation internationale de la Francophonie (OIF) réunit, en 2008, 55 États et gouvernements membres et 13 observateurs, soit une population de plus de 500 millions de femmes et d'hommes. Le statut du français varie d'un pays francophone à l'autre. Le français a statut de langue officielle, seul ou avec d'autres langues, dans 32 d'entre eux.

55 États et gouvernements membres et membres associés

Albanie, Andorre, Belgique, Bénin, Bulgarie, Burkina Faso, Burundi, Cambodge, Cameroun, Canada, Canada-Nouveau Brunswick, Canada-Québec, Cap-Vert, Centrafrique, Chypre, Communauté française de Belgique, Comores, Congo, République démocratique du Congo, Côte-d'Ivoire, Djibouti, Dominique, Égypte, Ex-République yougoslave de Macédoine, France, Gabon, Ghana, Grèce, Guinée, Guinée-Bissau,

Guinée équatoriale, Haïti, Laos, Liban, Luxembourg, Madagascar, Mali, Maroc, Maurice, Mauritanie, Moldavie, Monaco, Niger, Roumanie, Rwanda, Sainte-Lucie, São Tomé et Príncipe, Sénégal, Seychelles, Suisse, Tchad, Togo, Tunisie, Vanuatu, Vietnam.

13 Observateurs

Arménie, Autriche, Croatie, Géorgie, Hongrie, Lituanie, Mozambique, Pologne, République Tchèque, Serbie, Slovaquie, Slovénie, Ukraine.

Les opérateurs de la Francophonie

L'OIF s'appuie sur un opérateur principal éponyme l'Organisation internationale de la Francophonie, et quatre opérateurs directs : l'Agence universitaire de la Francophonie, l'Université Senghor d'Alexandrie, l'Association internationale des maires francophones et TV5. L'assemblée parlementaire de la Francophonie est l'assemblée consultative de l'OIF.

Les instances politiques majeures

– Tous les deux ans un « Sommet » rassemble les chefs d'État ou de gouvernement des pays membres. C'est ce Sommet qui définit les grandes orientations politiques de la Francophonie.

– La Conférence ministérielle de la Francophonie est composée des ministres des Affaires étrangères ou des ministres chargés de la Francophonie des pays membres de l'OIF. Cette conférence annuelle a pour mission de veiller à l'exécution des décisions arrêtées lors d'un Sommet et de préparer le Sommet suivant. De plus, elle recommande l'admission de nouveaux membres (ou de nouveaux observateurs).

– Le Secrétaire général de la Francophonie. Il est élu pour 4 ans par les Chefs d'État et de gouvernement. Il est le visage et la voix de la Francophonie sur la scène mondiale. Par ailleurs, il met en œuvre l'action diplomatique de la Francophonie et anime la coopération entre les différents membres.

– Le Conseil permanent de la Francophonie est composé des représentants personnels dûment accrédités par les chefs d'État ou de gouvernement membres des Sommets. Présidé par le Secrétaire général, le Conseil est chargé de la préparation et du suivi du Sommet, sous l'autorité de la Conférence ministérielle.

Aux carrefours de l'Histoire

Dominique Wolton

Reprise du n° 40 de la Revue *Hermès*,
« Francophonie et mondialisation », 2004

La Francophonie est le fruit de l'Histoire, une richesse culturelle pour tous les continents, un atout considérable pour la mondialisation. Comme l'Hispanophonie, la Lusophonie, l'Arabophonie. Pourquoi ? Parce que la mondialisation symbolise à la fois la fin des distances physiques et la prise de conscience de l'importance considérable des distances culturelles. Organiser la cohabitation culturelle est une condition de la paix.

Plus le monde est petit sur le plan technique et économique, plus il est rationalisé et standardisé, plus les différences culturelles sont importantes à préserver et à développer. Dans le monde ouvert et interactif de demain, les peuples voudront garder leurs pratiques culturelles. Contrairement à ce qui s'est passé pendant des siècles, l'identité n'est plus un obstacle à la communication, elle en devient la condition. Quand tout circule, chacun a besoin de racines. Et la Francophonie, à l'exclusion d'aucune autre, fait partie des racines culturelles du monde. Mais il n'y a pas de culture sans langue. C'est pourquoi la Francophonie n'est pas un aimable reste de la puissance passée de la France, mais bien une chance pour tous les peuples qui partagent cette langue et ces valeurs. Une chance pour apprivoiser cette mondialisation, dépourvue de sens, comme la jungle économique. La diversité culturelle est la condition de la mondialisation, et non un obstacle.

Oui, les techniques de communication transportent de plus en plus d'informations, d'images, de sons, de données d'un bout à l'autre du monde. Et de plus en plus vite. Mais cela ne suffit ni à créer une culture, ni à susciter une conscience mondiale. C'est une chose de faire le tour du monde en 24 heures en avion et de « communiquer » par radio, satellite, télévision, Internet… C'en est une autre de se comprendre. *Et pour se comprendre il faut d'abord comprendre que l'on ne se comprend pas.* C'est dans l'expérience de cette incompréhension que réside la clé de la communication de demain. Oui, les informations financières peuvent s'échanger rapidement, avec d'ailleurs des effets souvent tragiquement différents d'un bout à l'autre de la terre, mais les hommes ne communiquent pas à la vitesse des réseaux. Transmettre n'est pas communiquer.

Information n'est pas synonyme de communication. Les systèmes d'information échangent des informations, mais les hommes, les sociétés, les cultures, en revanche, communiquent. Admettre la difficulté de la communication humaine sociale et culturelle ne constitue pas un obstacle à la mondialisation, mais la condition pour que celle-ci reste demain vivable, c'est-à-dire humaine.

Le défi de la mondialisation ? Ne pas confondre l'efficacité des systèmes d'information *et* la difficulté de la communication interculturelle. Construire la mondialisation, c'est admettre toutes les chicanes de la communication humaine, sociale et culturelle. La diversité culturelle, c'est deux choses simultanément : la reconnaissance de l'irréductible importance des identités culturelles dans le monde de demain ; la nécessité de relier cette diversité aux principes généraux de la communauté internationale. La Francophonie illustre exactement ces deux paramètres.

Comme les autres aires linguistiques et culturelles (Commonwealth, Hispanophonie, Lusophonie, Arabophonie, Russophonie…), la Francophonie sert de *passage* entre l'histoire de la colonisation et la maîtrise de la mondialisation du XXIe siècle. Par une revanche inattendue de l'histoire, ces aires culturelles sont une chance pour limiter les effets de la rationalisation liés à la mondialisation. Au-delà des langues, ce sont les cultures, les visions du monde qui s'affirment et empêchent de confondre globalisation économique et unité culturelle. Car la culture, au-delà des langues et du patrimoine historique est ce qui permet *aujourd'hui* aux peuples de construire leurs visions du monde et de pouvoir appréhender le futur.

La Francophonie comme mouvement intergouvernemental est finalement très récente (création de l'Agence de Coopération Culturelle et Technique à Niamey en 1970), et n'est pas une initiative de la France, ce qui est toujours important à rappeler...

Il a fallu la décolonisation, le progrès des techniques de communication, l'affirmation des identités culturelles et finalement la fin de l'affrontement Est/Ouest pour que la Francophonie apparaisse vraiment. Elle est l'affirmation d'un peu plus de solidarité et la recherche d'un peu plus de règles démocratiques communes. En 30 ans d'une existence extrêmement brève, le grand changement a été l'*élargissement de la Francophonie*. Des valeurs à la défense de la langue, puis à la diversité culturelle, ensuite à l'adhésion à des valeurs politiques communes, enfin aux règles indispensables pour le développement durable.

Les diversités culturelles que la Francophonie doit gérer en son propre sein sont un terrain d'expérimentation de toutes les difficultés qui existeront demain à l'échelle beaucoup plus vaste du monde, d'autant qu'elle représente un quart des pays du monde. Un monde qui doit finalement respecter les chartes de l'ONU et de l'Unesco où sont affirmés les principes du respect et de l'égalité des cultures et des civilisations. Produit d'une histoire de conquête, la Francophonie se trouve aujourd'hui à l'avant-garde d'un combat pour la tolérance entre les peuples et les cultures. Saisissant retournement. Et au sein de ce retournement, la mondialisation constitue moins un changement d'échelle qu'un révélateur de l'*échelle* à laquelle doivent se poser les questions et les enjeux de la Francophonie. La mondialisation est une chance pour elle, pas un handicap. Même si cela va très vite.

La Francophonie est tout simplement un des lieux de lecture privilégiés du rapport entre universalité et diversité culturelle, central pour la paix et la guerre du XXIe siècle. Du coup, celle-ci se trouve bousculée entre les habitudes policées du Quai d'Orsay, la violence de la mondialisation, les revendications et le militantisme. Elle hésite entre diplomatie et révolte.

En réalité, au-delà des institutions, des politiques, la Francophonie est avant tout la somme de ces innombrables militants silencieux et anonymes qui, sous tous les cieux, les climats, les couleurs n'ont jamais cédé sur la langue. Le Québec en reste un fantastique exemple. La Francophonie demeure ce lien invisible qui, par-delà l'histoire, les malentendus, les sentiments, crée cette chaleur et cette communauté entre des individus, des groupes et des peuples que *tout* sépare par ailleurs. Elle est une manière d'être au monde, un regard, une identité, un style à l'exclusion d'aucun autre. Elle contribue à cette diversité du monde, si encombrante, mais si indispensable.

Diversité et droits de l'homme

Patrice Meyer-Bisch

Reprise du n° 40 de la revue *Hermès*,
« Francophonie et mondialisation », 2004

L'Organisation internationale de la Francophonie (OIF)[1] est originale en ce qu'elle se présente comme une communauté culturelle internationale : une communauté politique définie par une pratique culturelle qui, loin de la particulariser, lui confère une responsabilité d'universalité. Certes, le Conseil de l'Europe repose officiellement sur un patrimoine commun constitué des valeurs démocratiques. Mais l'OIF va plus loin dans l'identité culturelle, puisqu'elle repose sur une communauté de langue conçue de façon à recueillir et à valoriser la diversité culturelle, y compris linguistique. C'est du moins le défi.

Les pays qui ont la langue française en partage ont en commun des façons de percevoir, voire de pratiquer, les valeurs démocratiques. Or ces valeurs ne sont pas considérées comme particulières (la défense des intérêts d'une zone francophone), ni comme hégémoniques (défense et expansion de cette zone contre une mondialisation anglophone), mais comme universelles. Certes, les conflits d'influence demeurent, mais, à l'évidence, l'OIF n'est pas outillée pour se battre sur ce terrain, elle n'en a pas les moyens. Son objectif est officiellement défini à un autre niveau ; l'universalité apparaît comme la réponse démocratique à la mondialisation, car les valeurs universelles garantissent la diversité : les principes de l'État de droit, des droits de l'homme et des libertés fondamentales, pour prendre une des formules consacrées. Ici, la diversité culturelle prend du sens, c'est une diversité politique commune, reconnue, et pas seulement une coexistence entre des régimes non comparables. La valorisation universelle de la diversité est la reconnaissance que l'autre en sa culture constitue une valeur pour chaque nation. Voilà l'idéal de plus en plus affirmé depuis la conférence de Bamako.

Qu'en est-il ? Personne ne peut se prononcer sur les intentions réelles, sur la part de langue de bois et de mensonge officiel. Mais personne ne peut non plus mépriser les statuts officiels de nos organisations, car ce sont nos outils de démocratie, et c'est à nous qu'il revient de les actionner, de faire en sorte que les principes généraux deviennent contraignants.

La responsabilité du citoyen démocrate face à l'État-nation vaut également face aux institutions inter-étatiques : par action directe, par voie associative et par une interprétation élevée des responsabilités sociétales liées à ses activités quotidiennes de consommateur, d'usager et de professionnel. La seule condition – elle est de taille – est que ces idéaux soient consistants. Ma conviction est que cela devient progressivement le cas pour l'OIF, comme pour l'Unesco et le Conseil de l'Europe, dans la mesure où la découverte récente de l'importance centrale de la diversité culturelle se traduira en reconnaissance effective des droits culturels correctement insérés dans le système de protection de l'ensemble indivisible des droits de l'homme. Cela suppose, notamment, le développement des instruments juridiques pertinents.

Une communauté culturelle en faveur de la diversité

Le respect de la diversité culturelle n'est pas un vœu pieu, c'est la prise en compte du terrain : des personnes, de leurs institutions, de leurs pratiques et, surtout, de leurs capacités à être les auteurs et les acteurs du développement compris dans toutes ses dimensions. L'écologie paraissait au début comme une préoccupation sympathique avant qu'elle ne devienne une question prioritaire parce que vitale. Le processus historique est enclenché pour la diversité culturelle : elle apparaît à beaucoup comme un objectif louable, assez utopique face à la mondialisation, elle va devenir une des premières préoccupations, au même titre que l'eau ou l'énergie. Elle est apparue au sommet de Johannes-burg comme le « quatrième pilier » du développement durable, sous l'influence conjointe de l'Unesco et de l'OIF, mais elle ne peut rester à la place du wagon de queue. La culture est le premier facteur de dévelop-pement, comme elle est le premier facteur de paix et de sécurité humaine[2].

La nouvelle prise de conscience de la diversité culturelle comme facteur crucial de développement démocratique est un tournant politique essentiel qui permet d'entrevoir des approches bien plus intégrales de la démocratie. La diversité institutionnelle est l'essence même de la démocratie, à condition de pen-ser les rapports entre diversité non comme une coexis-tence, mais comme une richesse. La notion de diversité est inintelligible sans celle d'universalité ; les deux ver-sants se répondent et s'assurent mutuellement. C'est tout le progrès réalisé par rapport à la notion de « différence » et aux politiques de désintégration introduites par les revendications minoritaires non ancrées en logique universaliste. La différence met l'accent sur la cassure ; elle implique la violence du rapport minorité/majorité et renvoie donc à une reven-dication de protection d'une uniformité. Dans la diver-sité, la différence n'est qu'une parmi mille, non plus une cassure, mais une richesse potentielle. Toute diversité, cependant, n'est pas richesse, elle n'en est que la condition. La volonté politique, celle qui permet de tracer le chemin droit de l'égalité – l'égalité de droit –, permet l'interaction du divers et donc la richesse[3]. La diversité culturelle est le fruit d'une volonté individuelle et collective, exprimée par des libres choix. Les diversités subies ne sont pas bonnes par elles-mêmes ; elles doivent être soumises à l'évaluation et au choix.

De la diversité aux droits culturels

Nul n'est besoin d'attendre un hypothétique consensus sur les orientations politiques pour admettre d'ores et déjà que la diversité est une richesse transversale à préserver immédiatement si l'on veut garder ouvertes les possibilités de choix dans tous les domaines sociaux : de la paix aux divers aspects du développement durable.

Mais, précisément, la diversité est utile aux choix ; cela signifie que la légitimité de sa protection se réfère, certes, à une attitude de respect général pour les patrimoines, mais en vue de garantir le droit de chacun à y puiser les ressources nécessaires à son identité, à sa créativité et à ses liens sociaux. C'est pourquoi il convient de traduire le respect général pour la diversité en droits, libertés et responsabilités, afin de transformer l'objectif général en obligations concrètes et en stratégie politique en faveur des personnes. Il faut en effet un ancrage juridique clair pour éviter toute *réification* des cultures : il s'agit de ne pas considérer une culture, un patrimoine ou un bien culturel comme une valeur absolue, mais comme *l'objet de droits* dont la valeur est relative à ces droits. L'objectif est la protection des échanges culturels, en tant que systèmes de valorisation, de production et d'échange des ressources nécessaires aux libertés et responsabilités. Cette clarification est nécessaire pour passer des principes et objectifs contenus dans la Déclaration universelle sur la diversité culturelle de 2001 à la définition de droits et d'obligations conventionnels dans un domaine aussi large que celui de la diversité culturelle.

La Déclaration de l'Unesco stipule que la diversité est entendue au plan universel en relation avec les droits de l'homme, de sorte que le sujet pour qui la diversité doit être protégée est ici toute personne, présente ou future, sans discrimination. La protection de la diversité est fondée par le respect de l'égalité entre les personnes. La référence à l'universalité apparaît comme la façon la plus légitime et la plus efficace de contrer les effets standardisants de la mondialisation, tout en valorisant ses dimensions positives. Enfin, la référence à l'individu, en tant que sujet des droits de l'homme, n'exclut pas la dimension collective, puisque ses droits s'exercent pour une bonne part en collectivité.

Cette approche a le mérite de ne pas mettre en concurrence les droits individuels et les droits collectifs, et donc de ne pas courir le risque de dérives communautaristes, car les revendications collectives (de communautés culturelles, d'associations professionnelles, etc.) ne sont légitimes dans ce cadre que dans la mesure où elles s'exercent au profit des droits de tout individu, quels que soient son appartenance, son sexe, son âge, sa nationalité, etc. La protection de la diversité culturelle en tant qu'intérêt public a, certes, une valeur en soi, car on ne sait pas toujours d'avance à qui telle richesse culturelle pourra servir, mais elle est justifiée par l'accès potentiel des individus. D'une façon générale, il s'agit par là de garantir l'objet du droit de toute personne à participer à la vie culturelle de la communauté, selon la formulation de l'article 28 de la Déclaration universelle des droits de l'homme de 1948[4]. La diversité est la condition, la richesse humaine est le but et les droits permettent de définir les normes contraignantes qui tracent les limites démocratiques de la protection.

L'analyse de la relation de droit, constitutive d'un droit de l'homme, nous donne ainsi un triple éclairage de la diversité :

– *diversité des individus* (plus précisément, ici, respect de leurs droits culturels) ; concrètement, cela signifie que le respect de la diversité culturelle est d'abord celui des personnes, à la fois comme sujets et comme acteurs de cette diversité : chaque liberté humaine est gardienne d'une diversité ;

– *diversité de leurs objets* considérés comme des biens culturels qui, en tant que tels, ne se réduisent pas à une consommation, mais ont une valeur essentielle, soit pour les sujets eux-mêmes (leur jouissance est nécessaire à l'exercice de leurs droits culturels), soit pour quiconque, et relèvent ainsi de biens communs[5] ;

– *diversité des responsabilités* pour les individus et pour les acteurs sociaux ; il ne peut y avoir de diversité culturelle sans le développement d'une grande variété d'acteurs. On note ici l'importance du droit à une information adéquate sans lequel la responsabilité n'a pas de sens : le droit à l'information permet la communication des diversités et donc le développement de la richesse culturelle.

La diversité de ses opérateurs

La diversité culturelle, c'est premièrement la prise en compte des savoirs des communautés culturelles que forment les professions par-delà les frontières. Les communautés professionnelles, non les corporatismes ; mais ces communautés de savoir ont à inventer leur mode de participation à l'espace public. À cause des difficultés de représentativité, l'Unesco a maintenu les acteurs sociaux dans un rôle de consultation. La Francophonie offre un cadre beaucoup plus démocratique en traitant plus rapidement le problème de la représentativité. Ses partenaires sont « privilégiés », dans la mesure où ils savent s'organiser en réseaux institutionnels responsables de leur propre représentativité. Certes, le risque de clientélisme est bien réel, mais le principe est difficilement contestable. Je ne vois en tout cas pas d'autre moyen pour associer tous les acteurs à un droit des droits de l'homme qui soit à la fois interculturel et intersectoriel, un véritable droit commun, notre seule légitimité. Le défi est immédiat : l'Organisation saura-t-elle se doter des instruments d'observation, des normes juridiques et des instruments d'intervention politique pour faire régner ces principes dans un espace qui réunit une bonne partie des pays les moins avancés, des territoires d'extrême pauvreté et de corruption généralisée ? L'Organisation saura-t-elle mettre à jour les imbrications Nord/Sud au sein même de cette communauté politique culturelle ? La réponse n'appartient pas seulement aux gouvernements, elle est dans les mains de tous les opérateurs, voilà ce qui est nouveau, le fragile espoir d'une nouvelle culture politique.

NOTES

1. L'OIF est de création récente et demeure de structure composite, ce qui est à la fois sa faiblesse et son potentiel original pour l'avenir : elle est en principe capable d'intégrer la participation au plus haut niveau des acteurs sociaux. Ce qui n'est pas le cas des autres OIG, à l'exception célèbre de la plus ancienne, l'Organisation internationale du travail (OIT). Fondée en 1970 à Niamey par 21 États, autour du partage d'une langue commune, l'Agence de coopération culturelle et technique (ACCT) doit contribuer à la solidarité et au rapprochement des peuples par le dialogue permanent des civilisations. En 1995, elle est devenue Agence de la Francophonie consacrée dans la charte de la Francophonie (Hanoi, 1997) qui couvre l'Agence de son autorité politique (sommet des chefs d'État et secrétaire général) sous l'appellation de Francophonie, véritable date de création de l'Organisation. Les acteurs de l'OIF sont appelés « opérateurs », ce qui fait l'originalité de son fonctionnement. L'Agence de la Francophonie fut enfin nommée Agence intergouvernementale de la francophonie (AIF) en 1999, en tant qu'opérateur principal de l'OIF, travaillant en coopération avec les opérateurs directs (voir la fin de cet article).
   Voir le site : [http://www.francophonie.org].

2. Voir la table ronde de l'OIF dont j'ai assuré la coordination : *Diversité et droits culturels*, Tunis, 21-23 septembre 2002, Paris, Agence intergouvernementale de la Francophonie, 2002, 234 p. Voir en particulier, de Katérina STENOU, « La culture, quatrième pilier du développement durable », et du soussigné, le rapport introductif, « Diversité, sécurité et droits culturels », ainsi que le rapport de synthèse, « Propositions et recommandations ».

3. J'ai suggéré plusieurs fois d'introduire l'expression de « richesse culturelle » au moment de la rédaction de la Déclaration de l'Unesco et de son plan d'action. Mais la notion n'est pas encore dans le langage politique. Pourtant, je me demande bien comment on peut continuer à organiser des conférences et des programmes de lutte contre la pauvreté, sans une analyse fondamentale de la richesse et de ses conditions de possibilité : la liaison entre les ressources. Quand cette inversion se fera – dans peu de temps –, la culture trouvera la place qui lui revient, au cœur du politique.

4. Les travaux en cours au Conseil de l'Europe (Comité directeur du patrimoine culturel) concernant la préparation d'une « Convention-cadre européenne du patrimoine culturel » ont rencontré le même enjeu logique : étant donné qu'il n'est plus possible a priori de définir, eu égard à la profusion des objets, ce qu'est un patrimoine culturel à conserver, il est nécessaire de se référer à la légitimité du droit des personnes, seules ou en collectivité, d'accéder aux patrimoines, pour légitimer les limites de la définition des objets et la validité des procédures.

5. Classiquement, le droit à la propriété (à distinguer du droit de la propriété), tel qu'il est défini à l'article 17 de la Déclaration universelle des droits de l'homme, auquel a droit « toute personne, seule ou en collectivité », garantit l'espace des libertés. On peut considérer le droit aux patrimoines comme une interprétation du droit à la propriété dans les domaines de la culture.

La diversité culturelle à l'Unesco

Anne-Marie Laulan

Reprise du n° 40 de la revue *Hermès*,
« Francophonie et mondialisation », 2004

« *La persistance d'images anciennes dans l'imaginaire
collectif s'exprime parfois en rêves d'empire alors même
que de nouveaux modèles politiques sont recherchés.
L'exploration de nouvelles formes d'universalisme,
si elle révèle le souci d'ouverture à l'autre, illustre aussi
la pluralité des cultures et leurs interactions continues
dans l'espace et dans le temps.* »

Koïchiro Matsuura, directeur général de l'Unesco[1]

Étapes d'une lente genèse

C'est en 1988 que le secrétaire général de l'Organisation des Nations unies, Javier Perez de Cuellar,

41

lance conjointement avec le directeur général de l'Unesco, Federico Mayor, la « Décennie mondiale du développement culturel ». Dès ce moment émerge l'idée que si les efforts en faveur du développement ont si souvent échoué, c'est parce que les projets sous-estiment l'importance du facteur humain, écheveau complexe de relations et de croyances, de valeurs et de motivations, le cœur même de la culture. Notons dès l'abord que la définition proposée ici de la culture relève d'une conception anthropologique, comme l'entendent Max Weber ou Claude Lévi-Strauss, sans que l'on n'évoque la « culture cultivée » décrite ironiquement par Pierre Bourdieu qui désignait sous ce terme les monuments, œuvres d'art picturales ou musicales consacrés, légitimés, patrimoine réservé à une élite souvent internationale. L'opposition entre une culture universelle, liée à un modèle linéaire de développement, et les démentis cruels de l'actualité de par le monde obligent à tout repenser ; il n'est plus possible, disent les textes de l'époque, de continuer à nier la diversité des cultures, à restreindre les ressources créatrices de l'humanité, écartelée entre un passé vénéré et un avenir incertain. Le vigoureux mouvement de diversité culturelle, dans les années 1990, procède de l'émancipation politique de nombre de nations. « Chaque peuple avait été ainsi conduit à remettre en question le cadre de référence au sein duquel seule la rationalité occidentale était censée

produire des lois universelles. Chaque peuple revendi-
quait le droit de fonder la modernisation sur des bases
différentes² » écrit Perez de Cuellar dans l'avant-pro-
pos de son rapport. On finit par comprendre que les
échecs et les déconvenues du développement ont pour
origine les tensions culturelles dans nombre de sociétés. Les institutions internationales (Banque mondiale,
PNUD) ne se contentent plus des seuls critères économiques, évaluant désormais le *développement humain*
à l'aide de données variées qui vont de la liberté politique aux ressources de santé, d'éducation, de jouissance effective des droits de l'homme. L'introduction
de paramètres culturels dans les stratégies générales du
développement constitue une première étape dans ce
processus de redéfinition, à partir de 1992.

Autre composante du lent mûrissement du
concept de diversité culturelle, l'impact des grandes
conférences (sommet de Rio) sur les problèmes écologiques. À la suggestion des pays nordiques, l'Unesco
crée une Commission mondiale de la culture et du
développement (décembre 1992) que préside Perez de
Cuellar dont le mandat à l'ONU avait pris fin. La
commission Bruntdland avait, à Rio, réussi à convaincre
la communauté internationale d'allier l'économie à
l'écologie en dépit des résistances d'un très grand pays
non-signataire. De même, l'Unesco puis, quelques
mois plus tard, les Nations unies (sous Boutros
Boutros-Ghali) mettent en place une Commission

indépendante de douze membres, chargée de formuler des propositions pour répondre aux besoins culturels dans le contexte du développement et de la mondialisation. Le contexte international (chute du mur de Berlin) entraîne l'implosion d'un des camps en présence mais suscite des ondes de choc telles que, dans bien des pays, la culture locale sert de rempart, voire de refuge pour résister aux bouleversements économiques et technologiques. Exacerbés par de multiples insatisfactions, nombre de peuples se cantonnent dans les chemins étroits de l'identité partisane, ce qui engendre une vague continue d'affrontements internes entre les communautés ethniques, religieuses, nationales. La fin de la guerre froide s'accompagne d'une explosion, sur toute la planète, de guerres civiles, de massacres allant jusqu'aux génocides ; le rapport dénonce le narcissisme des petites différences, conduisant au rejet de l'Autre, mettant en péril la paix, mais aussi, à plus long terme, la diversité des cultures indispensable à la survie de l'espèce humaine. Au risque de paraître politiquement incorrect, qu'il soit permis de rappeler que ce rapport sur « notre diversité créatrice » fut fraîchement accueilli et que sa version intégrale vit sa diffusion restreinte : ceci probablement parce que les recommandations et l'agenda déstabilisaient les politiques culturelles bien établies dans les pays occidentaux. Il faudra attendre la fin de la « décennie culturelle » pour qu'en 1999 les événements se précipitent, l'Unesco organisant un colloque avec la participation de nombre de représentants de pays du Sud, sous l'intitulé provocateur : « la culture, une marchandise pas comme les autres ? ». C'est proclamer officiellement l'opposition à une conception libérale, généralement anglo-saxonne, de la culture comme *entertainment*, marchandise de distraction génératrice de profit. C'est en même temps d'âpres négociations à la conférence ministérielle de l'OMC (1999), avec d'ailleurs l'abandon de la notion d'exception culturelle, ressentie comme purement négative.

La mise en place d'un instrument de contrôle international est réclamée dans un nombre croissant d'instances principalement européennes, souvent francophones, auxquelles se joint le Canada. Les ministres de la Culture réunis dans le cadre de l'Unesco, le 2 novembre 1999, stipulent que l'Organisation qui regroupe presque tous les pays du monde (sauf États-Unis à l'époque) doit jouer un rôle déterminant quant à l'affirmation de la diversité culturelle, la doter de moyens face à la mondialisation. On passe ainsi de la défense des identités culturelles à la préservation juridique de la diversité culturelle. Nous oserons un parallèle avec les travaux des scientifiques soucieux, à la même époque, de préserver la diversité du patrimoine biologique, lui aussi menacé par les pratiques industrielles de productivité. Paradoxalement, nature et culture relèvent du même combat ; il en résulte une nouvelle stratégie vis-à-vis des relations commerciales internationales, une nouvelle vision des politiques de développement durable. Le rôle joué personnellement par Mme Lourdes Arizpe, ethnologue mexicaine appelée à la Direction du secteur de la culture à l'Unesco, mérite d'être souligné, tant elle eut à affronter des oppositions, parfois sarcastiques, venues du monde anglo-saxon et des économistes classiques. La question anthropologique de l'identité nationale, celle des minorités établies de longue date sur un territoire et, fait nouveau, celle des populations immigrées (Canada, Australie) amènent à forger un nouveau concept : *le multiculturalisme*. Quel est le statut social de ces groupes, contraints à l'assimilation/ clandestinité ? Quelle place réserver à ces langues minoritaires, aux coutumes vestimentaires, aux rites alimentaires, etc. ? Certains grands ensembles géographiques, telles la Méditerranée, l'Inde, se caractérisent par le plurilinguisme et la pluriculturalité vécus généralement de façon pacifique. Ailleurs, (Caraïbes, océan Indien...) ont lieu des affrontements qui, sous le prétexte de la langue, recouvrent des sentiments de domination économique et culturelle.

Au tournant du siècle, la conception anthropologique de la culture et de ses implications politiques, voire idéologiques, favorise à l'Unesco une évolution marquée vers la définition de règles (droits culturels) et de choix durables affectant les générations futures.

Mais au sein des États membres, pourtant tous soucieux de démocratie, apparaissent bien des différends, objet de débats de fond ; par exemple, le droit d'auteur, le droit d'accès à l'œuvre que complique encore l'avènement du numérique ; ou encore les politiques culturelles en faveur dans les pays en développement qui cherchent à se réapproprier leur système de valeurs spécifique (recherche des racines, volonté d'un développement endogène) alors que les pays industrialisés se préoccupent davantage des relations avec les partenaires privés (entreprises de production, auteurs, financeurs). La mondialisation de la culture a des effets négatifs : dérégulation des marchés, concentration économique, domination de multinationales puissantes, avec un risque de standardisation culturelle condamnant à la disparition les identités minoritaires et leur langue.

Accélération des prises de décision

Avec l'arrivée du successeur de Federico Mayor, le Japonais Koïchiro Matsuura, économiste de formation, la défense de la diversité culturelle devient plus offensive. La Déclaration universelle de l'Unesco sur la diversité culturelle été adoptée par acclamation en 2001, quelques jours après les attentats du

11 septembre. En corollaire est lancé un projet d'alliance globale pour aider les pays en développement à se doter de circuits de production et de distribution indépendants (à titre d'exemple : 88 pays sur les 193 États membres de l'Unesco n'ont jamais produit un seul film). Les entreprises culturelles et le mécénat du privé sont donc invités à s'investir dans des partenariats inédits, respectant la démarche endogène des pays en développement. Milagros del Corral, responsable de l'Alliance globale pour la diversité culturelle depuis sa création, en 2002, estime que le chiffre d'affaires généré par l'ensemble des entreprises culturelles du monde (891 milliards de dollars) pourrait permettre de financer, sous forme de bourses, vingt-cinq projets pilotes d'expression culturelle locale, indépendante. Si la Jamaïque qui compte 2 000 musiciens et 12 000 emplois liés à ce secteur s'est immédiatement mise sur les rangs, la France, pourtant pionnière de la diversité culturelle dans les négociations commerciales, n'a pris aucune initiative concrète. Les experts internationaux en échanges commerciaux et en développement (Cnuced) sont appelés à définir les politiques publiques à mettre en place, à organiser les accords de partenariat avec les acteurs du secteur privé de la production de biens culturels, nombreux mais très segmentés. La lutte contre la piraterie ne peut non plus être oubliée. Malheureusement, il en va de la solidarité culturelle comme de la solidarité numérique

invoquée vainement au sommet de Genève : rares sont les pays qui acceptent d'y souscrire ; on voit même certaines grandes nations multiplier précipitamment les accords bilatéraux de commercialisation et surtout de distribution, dans le but de freiner l'application de la future convention aux règles contraignantes. Une offensive des États-Unis, dès leur retour à la conférence générale de l'Unesco (2003), les a conduits à déposer un projet de résolution mettant en doute, en termes diplomatiques, « l'opportunité de l'élaboration d'un instrument normatif international concernant la diversité culturelle[3] ». Cette résolution fut rejetée. Deux mois plus tard, le directeur général a installé un comité d'experts indépendants de douze membres (dont un Français), chargé d'une première élaboration d'une convention « concernant la protection de la diversité des contenus culturels et des expressions artistiques » qui rendra ses propositions en juin 2004 et sera suivie d'une consultation intergouvernementale à l'automne, de manière à pouvoir présenter au Conseil exécutif, puis à la conférence générale le projet de la convention. « Il nous faut maintenant ancrer dans le droit par une convention les principes de la diversité culturelle et, de même, établir les principes de la bioéthique en droit public par un texte de portée universelle », plaide le président Jacques Chirac (octobre 2003) lors de son intervention à l'ouverture de la 31e session. Quelques mois plus tard, Abdou

Diouf (janvier 2004) énumère les dangers encourus par les cultures traditionnelles et déclare avec force au nom de la Francophonie : « Le repli sur soi, sur une seule langue, sur une seule culture, est un combat d'arrière-garde » ; il démontre que toute culture monolinguiste, marchandisée, mondialisée, sera la première victime des mécanismes économiques et financiers, car tout échange suppose le dialogue des civilisations, implique l'existence et le respect de l'Autre. L'humanité se vit et se décline à travers la diversité des cultures qui l'expriment. Quelques semaines auparavant, Adama Samassekou, président du comité préparatoire du Sommet mondial sur « la société de l'information » (Lyon, décembre 2003), en soulignait les avancées positives : le face-à-face institutions/opérateurs industriels a été progressivement modifié par l'irruption forte de représentants de la société civile ; simples observateurs tolérés, mais fortement auto-organisés, ils ont finalement enrichi les perspectives en imposant un partenariat multi-acteurs, plaçant le développement durable au centre des préoccupations du sommet de Tunis (2005).

Pour survivre, la civilisation moderne de demain sera une société de communication, de dialogue multiculturel et plurilinguistique, à l'image de ce que sont déjà nos grandes cités cosmopolites. En ce sens, le combat pour la francophonie rejoint celui de la diversité culturelle et pourrait prendre place comme instrument d'un nouvel ordre mondial, géopolitique plus encore que linguistique.

NOTES

1. *Les Civilisations dans le regard de l'autre*, actes du colloque, Unesco et EHESS, Paris, 2001.

2. « Notre diversité créatrice », rapport de la commission mondiale de la culture et du développement, traduction française, Unesco, Paris, 1995.

3. *Déclaration universelle de l'Unesco sur la diversité culturelle*, Unesco, Paris, 2002.

Références bibliographiques

Assises européennes sur la diversité culturelle, Varsovie, Unesco, 3-5 juin 2004.

Conférence intergouvernementale de Stockholm sur les politiques culturelles pour le développement, rapport final, Unesco, 1998.

La Información en el nuevo orden interacional, Instituto latino-americano de estudios transnacionales, Mexico, 1977.

Toward a New World Information Order. Consequences for Development Policy, Institut für internationale Begegnungen und Friedrich-Ebert-Stiftung, Bonn, 1978.

PAVLIC, B., HAMELINK, C. J., *Le Nouvel Ordre économique international : économie et communication*, collection Études et documents, n° 98, Unesco, 1985.

TRABER et NORDENSTRENG, *Few Voices, Many Worlds*, World Association for Christian Communication ed., Londres, 1992.

TUPPER, P., *Allende, la cible des médias chiliens et de la CIA (1970-1973)*, Éditions de l'Amandier, Paris, 2003.

Les TIC, alternatives à la mondialisation

Michel Arnaud

Reprise du n° 40 de la revue *Hermès*,
« Francophonie et mondialisation », 2004

La Francophonie est un lieu d'échanges entre cultures différentes qu'elle a à cœur non seulement de respecter, mais aussi de promouvoir au sein d'une aire linguistique commune. Elle peut jouer le rôle de vecteur dans le développement culturel et économique local en favorisant le rétablissement de l'équilibre des échanges entre pays riches et pays en voie de développement, en particulier en garantissant l'éclosion et le développement d'industries locales dans le domaine des contenus en ligne par la promotion des normes ouvertes et des logiciels libres.

Normes ouvertes et logiciels libres, facteurs de développement durable

Si les technologies de l'information et de la communication permettent « à chacun d'entre nous, en tout point du monde, d'accéder quasi instantanément à l'information et au savoir dont les particuliers, les organisations et les communautés devraient pouvoir bénéficier » comme l'affirme le plan d'action du SMSI, adopté à Genève en décembre 2003 (§ 10), les enjeux autour des développements informatiques concernant les outils et dispositifs de communication font que les normes ouvertes et les logiciels libres sont le prochain terrain de négociation entre États, après celui sur l'adressage et les protocoles de communication.

Le développement durable nécessite le rééquilibrage de la répartition de la plus-value économique entre pays riches et pays émergents

Selon le rapport 2001 sur le développement humain du PNUD, 185 des 500 entreprises du classement de la revue *Fortune* externalisent leurs activités informatiques en Inde. Internet contribue à l'émergence d'une nouvelle géographie socio-politique où les frontières nationales disparaissent au profit de frontières électroniques qui créent des îlots de prospérité, zones franches tournées vers l'exportation dans le cas des pays émergents en relation directe avec les centres de transaction des quartiers d'affaires des pays riches. La question se pose de la pertinence de ce modèle de développement économique où, d'un côté, les pays riches voient le nombre des chômeurs augmenter inexorablement, tandis que, de l'autre, la création de richesse n'est pas suffisante pour tirer vers le haut la majorité des populations vivant souvent au-dessous du niveau de pauvreté, autour de zones franches réalisant l'essentiel de leurs chiffres d'affaires à l'exportation (Traoré, 1999). Seule la décision politique des investisseurs issus des pays émergents de modifier la donne quant à l'orientation de leurs projets peut amener le changement espéré, propice au développement économique local et au renforcement de la diversité culturelle. Ce changement s'appuie à notre sens sur le développement de produits génériques dans les domaines importants, tels que l'alimentation, la santé et l'éducation. Ceci suppose que soit contrecarrée la politique de brevets impulsée par les multinationales et tendant à imposer le paiement de redevances sur les semences agricoles, les médicaments et les logiciels. Le Simputer a été créé en 2001 à l'Institut indien de la science de Bangalore, concept très intéressant d'un micro-ordinateur à 200 dollars américains, fonctionnant avec un logiciel libre et une interface vocale dans les principales langues indiennes. Ses inventeurs l'ont conçu en pensant au marché des villageois analphabètes qui représentent la large majorité du peuple indien. Pourtant, les capitaux indiens ayant boudé le projet, une entreprise de Singapour a repris le flambeau en 2003 avant que des fonds publics indiens (Bharat Electronics) ne décident, en avril 2004, de lancer une version allégée en note pad, l'Amida Simputer. Ces péripéties sont symptomatiques du changement en cours dans les mentalités des investisseurs des pays émergents qui constatent que de vrais marchés vont bientôt s'ouvrir aussi chez eux, qu'ils ont intérêt à les développer en mettant en pratique un autre modèle économique que la sous-traitance et que la plus-value.

Les normes ouvertes comme soutien au modèle économique des logiciels libres

Dans ce contexte, la définition de norme ouverte prend tout son sens : elle consiste à mettre à la disposition des développeurs des interfaces écrites en logiciels libres et utilisables pour faire communiquer les briques logicielles entre elles. La flexibilité de la norme ouverte est garantie par l'utilisation d'outils logiciels les plus courants et susceptibles d'évoluer dans le temps.

Enfin, sa transparence est assurée grâce à une description détaillée de ses fonctionnalités. La conséquence de la standardisation des interfaces entre modules logiciels est qu'ils deviennent non seulement interopérables, mais interchangeables, permettant de combiner un module développé en logiciel libre à un autre réalisé avec un logiciel propriétaire. De cette manière, la confiance s'instaurera autour des logiciels libres qui répondront à la demande du marché, en étant bon marché, fiables et évolutifs. Les normes ouvertes et sans brevet actuellement discutées au niveau international au sein d'ISO sont un point de passage obligé pour obtenir la certification dont l'enjeu est le marché mondial : participer activement à l'élaboration de ces normes donne un avantage compétitif à un éditeur de logiciels dans la mesure où il peut orienter ses développeurs de telle sorte que son produit soit certifié conforme aux normes quand il sera mis sur le marché. Les normes ouvertes contribueront ainsi à l'émergence d'entreprises informatiques locales et à un partage d'expertise au niveau mondial.

Normes ouvertes et logiciels libres promeuvent la diversité culturelle et linguistique

La conférence ministérielle de la Francophonie sur la société de l'information qui s'est tenue à Rabat

en septembre 2003 a souligné « l'importance du soutien à la production et à la circulation de contenus
reflétant la diversité des identités culturelles et linguistiques, notamment par l'utilisation des logiciels libres.
Le libre choix d'une expression en langue française et
dans les langues nationales doit pouvoir être exercé. »

Choix des logiciels libres pour préserver la diversité culturelle

Pour garantir le libre accès des citoyens aux informations publiques, il est indispensable que l'encodage
des données ne repose pas sur un fournisseur unique.
L'utilisation de formats ouverts et standardisés renforce cet aspect avec l'usage des logiciels libres. Afin
de garantir la sécurité nationale, il est indispensable de
pouvoir se fier à des systèmes dépourvus d'éléments
autorisant leur contrôle à distance ou la transmission
non désirée d'informations à des tiers. De ces consta-
tations découle la nécessité d'utiliser des systèmes
d'information dont le code est librement accessible,
afin de permettre leur inspection par l'État lui-même
et par les citoyens. La récente étude sur la place du
français dans Internet réalisée pour l'INTIF par
FUNREDES, en 2002, comptabilise le nombre de
pages accessibles sur le Web par les moteurs de
recherche selon les diverses langues et révèle un

apparent retour de l'anglais (45 %) par rapport au français (4 %), aux langues latines (espagnol : 5 %, italien : 2 %, portugais : 2 %) et à l'allemand (6 %), inversant la tendance qui avait prévalu de 1996 à 2001. 90 % de la production de pages Web en français étant répartis entre la France, le Canada, la Belgique et la Suisse, il convient de stimuler la production par les pays francophones du Sud, parmi lesquels émergent le Maroc, la Côte d'Ivoire, le Liban, le Sénégal et la Tunisie, sans compter celle des langues partenaires de la Francophonie. Étant donné la limitation des disponibilités financières au sud, cet objectif n'est envisageable que si des logiciels bon marché, mais performants, sont disponibles. Les logiciels libres de création de contenus Web et de moteurs de recherche dans les langues concernées font partie des solutions à promouvoir dans l'objectif de la défense de la diversité culturelle et linguistique.

Développement, diffusion et usage des logiciels libres encouragés

La conférence de Rabat a prôné le développement, la diffusion et l'usage des logiciels libres. Il s'agit de recourir à des partenariats croisés entre pays riches et pauvres, institutions publiques et privées, pour accélérer le processus d'appropriation des langages de développement des logiciels libres. En partenariat avec l'Association francophone des utilisateurs de Linux et logiciels libres (AFUL), l'Agence universitaire de la Francophonie (AUF), *via* son programme « TIC et appropriation des savoirs », met en place des centres Linux et logiciels libres pour le développement (3LDév) fondés sur la mise en place et l'utilisation de solutions technologiques et pédagogiques ouvertes dans lès pratiques d'enseignement, de recherche ou de communication, là où les universitaires de toutes disciplines en exprimeront le besoin. Des ateliers logiciels libres ont été organisés par la Commission économique pour l'Afrique (CEA) et l'Agence intergouvernementale de la Francophonie (AIF-INTIF) à Addis-Abeba, Bamako et Lomé en 2003.

Avec les normes ouvertes, la flexibilité des combinaisons de modules permet de constituer les ensembles de fonctionnalités les plus à même de répondre aux besoins des utilisateurs en respectant leurs particularités sociales et culturelles, quel que soit le modèle pédagogique choisi. La déclinaison de normes internationales ouvertes et sans brevets dans le domaine de l'accès au savoir en ligne est stratégique, car, de cette manière, les formats proposés de données échangées peuvent être suffisamment riches pour pouvoir accommoder toutes sortes de scénarios pédagogiques avec un suivi important et des évaluations en ligne. À charge pour les développeurs de concevoir des briques logicielles libres répondant aux spécificités culturelles régionales, mais restant interopérables grâce au respect des normes ouvertes. Autre avantage, les dispositifs d'apprentissage en ligne réalisés en logiciels libres sont à des prix beaucoup plus bas que les solutions propriétaires, quand ils ne sont pas gratuits.

Conclusion

Promouvoir la diversité culturelle et linguistique consiste, entre autres démarches, à s'appuyer sur les normes ouvertes et les logiciels libres. Il s'agit non seulement de donner les moyens de réaliser des logiciels accommodant les aspects culturels et linguistiques, mais aussi de favoriser le partage de connaissances et de savoir-faire autour de leur conception de telle sorte qu'une chance égale soit donnée à tout groupe de développeurs de par le monde pour réaliser et mettre en vente ce dont ses clients ont besoin. Des associations regroupent concepteurs, développeurs, enseignants/tuteurs et étudiants, pour fournir des kits de qualité en logiciels libres, à partir de spécifications à discuter sur les forums et autres lieux collaboratifs. Le projet Debian regroupe des centaines de développeurs bénévoles unis par un contrat social, est géré comme une démocratie directe et produit de nombreux logiciels libres. Des groupes d'États ont compris l'intérêt de cette dynamique et l'appuient en vue d'affermir les capacités de leurs industries logicielles et de se donner les moyens de sortir de la dépendance vis-à-vis d'un seul éditeur logiciel en situation de quasi-monopole. L'accès au savoir en ligne est une condition indispensable à l'innovation et partie prenante d'un modèle économique garantissant un espace d'adaptation, d'organisation autonome et de développement à l'échelon régional. L'utilisation des logiciels libres offre la possibilité de retourner la tendance de l'apprentissage en ligne réservé à une élite, parce qu'elle permet d'abaisser les coûts. Elle donne aux pédagogues et aux développeurs la possibilité de dialoguer et de construire ensemble les outils dont les premiers ont réellement besoin. Au lieu d'avoir des systèmes vendus clés en main qui imposent des modèles pédagogiques prédéfinis, les logiciels libres, au contraire, rendent possible le développement de dispositifs d'apprentissage en ligne à une échelle régionale. Ceci permet de développer des dispositifs en phase avec les habitudes culturelles et pédagogiques locales, constamment modifiables dans la mesure où le code est disponible à tous et où les communautés collaboratives de pédagogues et de développeurs se chargent des améliorations nécessaires.

Ces remarques permettent de proposer les logiciels libres et les normes ouvertes comme faisant partie de la notion de bien public régional dans le cadre du développement durable (Stiglitz, 2002). Parmi les multiples objectifs à atteindre, citons la garantie du libre accès au savoir en ligne, obtenue en donnant les moyens aux établissements publics de négocier des taux préférentiels pour les équipements, les tarifs de télécommunications et les droits d'auteur (Kaul, 1999). Il est temps que les États s'engagent dans les négociations internationales pour garantir la pérennité des développements en logiciels libres. Une telle approche favorise l'extension à de vastes zones culturelles et géographiques de modèles flexibles d'interactions aussi bien pédagogiques que technologiques, devant être adaptés pour mieux répondre aux habitudes et aux pratiques régionales. C'est le moment de participer aux négociations ISO et d'appliquer des méthodes d'implication des partenaires clés, en particulier des représentants des utilisateurs finaux et des prescripteurs aux côtés des industriels. La Francophonie joue un rôle important à cet égard.

Références bibliographiques

COMMISSION ON GLOBAL GOVERNANCE, *Our Global Neighborhood*, Oxford University Press, 1995.

KAUL, L., GRUNBERG, I., STERN, M., *Les Biens publics à l'échelle mondiale. La coopération internationale au XXIe siècle*, PNUD, New York, Oxford, Oxford University Press, 1999.

PNUD, *Rapport sur le développement humain*, 2001.

ROGOFF, B., GOODMAN TURKANIS, C., BARTLETT, L. (dir.), *Learning Together: Children and Adults in a School Community*, New York, Oxford University Press, 2001.

STIGLITZ, J., prix Nobel d'économie, *La Grande désillusion*, Paris, Fayard, 2002.

TRAORE, A., *L'Étau. L'Afrique dans un monde sans frontières*, Arles, Actes Sud, 1999.

L'arbre à palabre domine la forêt électronique

Alain Kiyindou

Reprise du n° 40 de la revue *Hermès*,
« Francophonie et mondialisation », 2004

À l'instar des radios rurales, l'Institut franco-phone des nouvelles technologies de l'information et de la formation (Intif), organe de l'AIF, soutient de nombreuses expériences qui se déroulent dans l'espace francophone. Parmi elles, Cybersonghai, au Bénin, qui est un concentré de services classiques (fax, photocopie, Web…), de restaurants, de débits de bois-sons, de commerces de produits alimentaires locaux, c'est-à-dire un ensemble de cybercentres bâtis sur le modèle de « la place de marché africaine » et où se tissent des liens sociaux (actuels et virtuels). À côté de ces cybercentres se développent des centres multi-médias communautaires (CMC) qui, bénéficiant de l'appui de l'Unesco, visent à répondre aux besoins des populations locales en termes d'accès et d'échanges d'information tout en valorisant « les savoirs et les savoir-faire » que détiennent les communautés rurales. S'appuyant sur les CMC, les animateurs ruraux ont mis en place le « système question réponse », une sorte de FAQ (*frequently asked questions*) adaptée aux besoins de la communauté. En effet, le « système question réponse » permet de recueillir des questions et d'apporter des réponses à des problèmes précis de développement.

On voit donc, à travers ces exemples, que des efforts sont réalisés pour mettre Internet au service du développement économique de l'Afrique francophone, en encourageant les échanges entre les différents membres. On peut, par exemple, noter que par le biais du site Internet du Forum francophone des affaires [http://www.ffa-i.org/], de nombreux chefs d'entreprise africains ont noué des contacts avec leurs collègues francophones européens. C'est ce genre d'échanges qui aboutit à la mise en place de projets ambitieux et intéressants comme celui de Manobi, qui, grâce aux applications qu'elle a développées, a été nominée pour le meilleur projet dans la catégorie « e-inclusion » au Sommet mondial sur la société de l'information. En effet, l'entreprise franco-sénégalaise a mis au point un observatoire des prix pratiqués sur les principaux marchés de Dakar. Les artisans pêcheurs peuvent ainsi, par le biais de leur téléphone portable, accéder aux prix de la marée dans les différents ports de débarquement, ce qui leur permet de vendre au meilleur prix leur production. Ils peuvent également avoir accès, en temps réel, à la météo marine, ce qui permet d'améliorer la sécurité[1].

En tout cas, grâce à la plate-forme Manobi, de nombreux Sénégalais ont découvert les possibilités qu'offrent les nouvelles technologies de l'information et de la communication.

Il y a, à côté de ces échanges basés sur le partenariat économique, une autre dynamique qui mérite d'être évoquée, c'est cette solidarité exprimée sur Internet entre les francophones d'ailleurs et ceux d'Afrique. L'association Afrique Tandem [http://www.afriquetandem.com], par exemple, organise en France des collectes de livres et de manuels scolaires en français au profit des établissements de Bamako et de Mopti, au Mali ; des chercheurs d'origine africaine se mettent actuellement en réseau pour mener des travaux en collaboration avec leurs collègues[2]. Ces réseaux bénéficient d'ailleurs d'une attention particulière de l'AUF (Agence universitaire de la Francophonie). On est donc face à une préoccupation des instances francophones réaffirmée à la conférence de Cotonou (juin 2001), c'est-à-dire mettre la francophonie au service du développement. Mais si toutes ces relations paraissent dynamisées par Internet, il convient tout de même de souligner cette illusion qui fait croire que tout cela est nouveau, car les expressions et le renforcement des liens sociaux ont existé bien avant l'arrivée d'Internet.

Du totem à la Marianne, les signes d'un lien paradoxal

Si la francophonie apparaît avant tout comme un lieu de partage, l'usage des nouvelles technologies de l'information et de la communication montre qu'elle peut aussi consister, selon un paradoxe apparent, à cultiver sa différence tout en se réclamant, par le biais d'une langue-support, d'un ensemble plus large. C'est ce qui permet à Pierre Mertens de revendiquer une « belgitude » calquée sur le modèle senghorien de la négritude et se définissant par rapport et en opposition aux autres (Goffman, 1975). En effet, parmi les codes qui rappellent l'attachement à la communauté francophone, il y a l'usage du français qui s'est imposé de façon presque naturelle (même si la plupart des internautes reconnaissent l'importance des langues locales). Comme au Canada et en Belgique, la préservation de la pratique du français en Afrique reste un objectif identitaire crucial et parfois passionnel. La langue française intègre, différencie, marque la frontière, notamment avec les communautés anglophones. L'introduction des mots et des textes anglais sur la liste de discussion Africanet a, par exemple, occasionné un débat passionné qui a duré plusieurs jours. On peut également noter, en dehors de ce cas, une participation active des Africains au sein du réseau « Défense de la langue française » [http://www.langue-francaise.org]. On trouve en effet sur le site de cette association des témoignages d'internautes africains sur l'importance de la langue française dans leurs pays. Tous ces internautes semblent convaincus du fait que le français est en danger et qu'il faut le défendre, une conception qui, bien que relayée par des Africains, s'accompagne parfois d'une volonté hégémonique. Les écrivains francophones, en tant que principaux vecteurs de construction et de consolidation de l'identité francophone, jouent un rôle prépondérant dans ce processus de francisation. Les sites africains francophones font, en effet, souvent référence à Léopold Sédar Senghor, Camara Laye, Birago Diop, Sembène Ousmane, Sony Labou Tansi, Tchikaya U Tamsi, Seydou Badian, Henri Lopes…

Il convient de noter, à côté de la langue, un certain nombre de rites, de symboles, d'événements communautaires qui matérialisent l'appartenance à la communauté francophone. Faire partie de la communauté, c'est partager ces points communs. C'est ainsi que les fêtes symbolisant la communauté francophone, comme le 20 mars[3], trouvent un écho sur les différentes plates-formes de discussion. On peut, par exemple, voir sur le site dédié à cette journée qu'à l'occasion de cette fête une association camerounaise a organisé un spectacle sur les danses Bassa, que des jeux scolaires ont été organisés à Ngaoundéré, que des concours ont été organisés au Togo, en Tanzanie, en Égypte, au Congo…

Mais, au-delà de cet attachement, on peut observer à travers les sites francophones une sorte de syncrétisme hétéroclite ou de réinterprétation sélective (Herskovits, 1965) qui fait d'eux de véritables espaces métissés. En effet, cette adhésion aux valeurs francophones n'est en rien exclusive. On peut notamment remarquer sur ces sites un brassage des parlers locaux et du français articulé sous forme de va-et-vient entre l'attachement à l'Afrique et à l'espace francophone, c'est-à-dire de cohabitation culturelle. Il est vrai qu'il y a de plus en plus de sites Internet sur les proverbes africains où l'on trouve des correspondances entre la langue de Molière et les langues africaines, des sites sur les prénoms africains où se mêlent désir d'authenticité et souci de rester dans les normes francophones[4]. On ne compte plus, sur Internet, les emprunts aux langues africaines (daba, moutête, malafoutier…), les transferts, les extensions et restrictions de sens, les métaphorisations et changements de catégorie. On a donc ici des exemples de réappropriation du français par les internautes francophones[5], qui n'hésitent pas à faire « cracker la grammaire », à « défranciser la langue » pour la rendre moins pure et donc parée de « reliques barbares ». Ces réinterprétations, qui sont fortement critiquées par les puristes, s'expliquent par le fait que comme le rappelait L. S. Senghor, les Africains ont besoin de « s'enraciner dans leur terre mère pour s'ouvrir au pollen fécondant de l'autre ». On remarquera à ce propos que la francité n'a pas effacé le rapport avec la société ancestrale, loin de là. En Afrique francophone, cette identité se construit aussi dans la relation sacrée avec les parents, donc à travers le cercle familial, le clan, le lignage. On peut d'ailleurs constater avec étonnement le développement de cet usage particulier d'Internet, qui consiste à mettre cet outil au service de la mémoire, du lien avec les ancêtres. En effet, on voit fleurir sur le réseau Internet africain des « necronet[6] », sorte de cimetière virtuel permettant aux membres de la famille dispersés dans le monde de renouer le lien rompu avec les ancêtres, les morts. De même, lors du décès de Marc Vivien Foé (figure sportive francophone), de nombreux forums ont servi de défouloir à cette communauté, qui avait besoin d'exprimer sa douleur[7]. Il y a surtout un attachement aux morts très marqué, un constat qui apparaît d'ailleurs dans la pensée de Tylor et que ce dernier explique par la théorie de l'animisme[8] (Tylor, 1871). Ce caractère religieux de la culture africaine, qui revient dans les travaux de Tempels, cette omniprésence du mysticisme[9] qui ressort dans la littérature noire africaine de langue française est également présente sur le cyberespace avec la profusion d'éléments iconiques comme les masques, les fétiches, les totems, les végétaux, les animaux. En tout cas, les contenus des sites ne sont pas indifférents aux questions de sens. Comme l'affirme d'Iribarne, si des symboles, des couleurs sont souvent utilisés, c'est pour ce qu'ils signifient (d'Iribarne, 1992).

NOTES

1. Le mobile, s'il est couplé à un GPS (système de positionnement global), permet de gérer les sorties en mer et de donner l'alerte pour dépêcher des secours.

2. Africanti [africanti.org] et Mukanda [www.mukanda.org] sont des exemples de réseaux de ce type.

3. Journée internationale de la francophonie.

4. De nombreux prénoms sont revus et corrigés pour correspondre aux sonorités courantes dans la langue française.

5. Le mot « bouche », par exemple, est en Afrique intimement lié à la parole. Être la bouche de quelqu'un signifiera être le porte-parole de quelqu'un, et avoir une bouche, être insolent.

6. [http://www.afrocom.org/jdupuis/necro.htm].

7. Sur grioo.com, par exemple, un espace a été créé après la mort du footballeur camerounais Marc Vivien Foé, avec un forum permettant au public d'exprimer sa douleur.

8. Théorie selon laquelle les âmes humaines des défunts, et les âmes des végétaux, des minéraux et des animaux, gouvernent la vie du monde.

9. Ce terme renvoie à l'école sociologique de E. Durkheim (1912), aux travaux de S. Freud (1913) et surtout aux célèbres théories de L. Lévy-Bruhl (1925) sur la mentalité primitive.

Références bibliographiques

ALBERT, C., *Francophonie et identités culturelles*, Paris, Karthala, 1999, 338 p.

DUBEY, G., *Le Lien social à l'ère du virtuel*, Paris, PUF, 2001, 258 p.

DUMONT, P., *L'Interculturel dans l'espace francophone*, Paris, L'Harmattan, 2001, 215 p.

GOFFMAN, E., *Stigmate*, Paris, Éditions de Minuit, 1975, 175 p.

HABERMAS, J., *Théorie de l'agir communicationnel*, Paris, Fayard, 1987.

HERSKOVITS, M.-J., *L'Afrique et les Africains francophones, entre hier et demain. Le facteur humain dans l'Afrique en marche*, Paris, Payot, 1965, 314 p.

D'IRIBARNE, P., « Contre l'anti-culturalisme primaire », *Revue française de gestion*, novembre/décembre, Paris, 1992.

KIYINDOU, A., « Culture et appropriation de l'information générale et spécialisée en milieu rural africain », *Hermès*, n° 28, Paris, CNRS Éditions, 2000, p. 233-244.

LEVY, P., *Le Virtuel : étude d'un processus de transformation*, Paris, La Découverte, 1998, 159 p.

MAFFESOLI, M., *Le Temps des tribus, le déclin de l'individualisme dans les sociétés de masse*, Paris, Méridiens Klimsieck, 1988, 226 p.

SENGHOR, L.-S., *Les Fondements de l'africanité*, Paris, Présence Africaine, 1968, 107 p.

TSANGU MAKUMBA, M.-V., *Pour une introduction à l'africanologie, une contribution à la psychologie culturelle de la néoafricanité*, Fribourg, *f*ditions universitaires, 444 p.

Quelle science pour quel développement en Afrique ?

Bonaventure Mvé-Ondo

Reprise du n° 40 de la revue *Hermès*,
« Francophonie et mondialisation », 2004

La science n'est pas seulement utile aux pays développés, elle peut aussi aider au développement et à la paix de pays pauvres à condition de s'adapter aux réalités et aux logiques du terrain. Tel est le principe qui est au cœur du colloque organisé par l'Agence universitaire de la Francophonie dans la perspective du sommet francophone de Ouagadougou. Il en va tout autrement dans les faits. Il y a aujourd'hui un très important déséquilibre entre l'Afrique et les pays développés, non seulement dans la similarité des situations au titre des volumes, mais encore au niveau des modes de production scientifique et économique. Tout d'abord, sur le plan scientifique, la place de l'Afrique dans la production mondiale publiée, quels que soient les modes de calcul, est extrêmement faible. De 1 %

en 1960, année des indépendances, elle est tombée en 2000 à environ 0,3 % (Gaillard, 2000). Ensuite, au niveau des budgets consacrés à la recherche, depuis des années, ce secteur vit dans une forte dépendance vis-à-vis du Nord. Enfin, au niveau du mode de production de la science et des savoirs en Afrique, on est frappé par ce que l'on pourrait appeler la « primairisation », c'est-à-dire une recherche qui repose quasiment sur la collecte des premiers éléments, qui sont ensuite envoyés dans les laboratoires mieux équipés du Nord pour la finalisation. Cette situation est tellement grave aujourd'hui qu'on peut la qualifier, dans une certaine mesure, « d'apartheid scientifique », qui, lui, découlerait de « l'apartheid économique ».

Sur le plan économique, la similarité de la situation est troublante. Non seulement, « la part de l'Afrique dans les exportations mondiales est tombée d'environ 6 % en 1980 à 2 % en 2002 », mais encore, sa part « dans les exportations de marchandises a reculé, en valeur, de 6,3 % en 1980 à 2,5 % en 2000 » (Nations unies, 2003, p. 1). Or, comment s'expliquent ce recul, cette faible industrialisation et cette incapacité à mobiliser les moyens et à investir dans les produits à plus-value ajoutée locale ? Comment se fait-il que l'Afrique ne s'approprie pas la science et la technologie ? En quel sens faut-il et doit-on s'approprier la science pour assurer enfin le développement durable en Afrique ? Telles sont les principales questions auxquelles nous allons essayer de répondre.

Les raisons d'un échec

On explique généralement les causes du marasme africain par plusieurs types de facteurs : les facteurs « structurels » internes qui découlent des circonstances historiques ou de l'environnement physique (catastrophes écologiques, politiques ou démographiques) ; les facteurs « externes », liés aux tendances défavorables de l'économie mondiale (choc pétrolier, détérioration des termes de l'échange, mondialisation, dette) ; les facteurs économiques internes (politiques de planification trop contraignantes, non-industrialisation et extrême faiblesse des infrastructures de base) [Delas, 2001, p. 109 et suiv.]. Mais à ces raisons assez classiques, on peut en ajouter une autre qui est liée à l'impossible internalisation de la science occidentale en Afrique. On a vite cru en effet que, pour engager le développement en Afrique, il suffisait d'appliquer à cette dernière le paradigme dominant de la science moderne, paradigme qui a lui-même conduit au développement de l'Europe. Or, l'application de ce paradigme en Afrique s'est révélée inefficace pour une raison essentielle, à savoir l'impossible mise entre parenthèses du fait sociétal africain ou ce que certains ont appelé « l'ajustement culturel » (Etounga Manguelle, 1990). Car, manifestement, la situation africaine est plus complexe qu'on l'imagine. Elle est fondamentalement complexe, d'abord, par le jeu de superstructures mentales et sociétales particulières (Kabou, 1991), ensuite, par l'influence de la pensée dominante qui refuse de prendre en compte les autres modes opératoires ou les autres cultures du monde, et enfin par les difficultés liées à l'émergence d'une pensée critique. À ces complexités induites par le substrat socioculturel s'ajoute celle qui résulte de l'ambivalence même de la science et de la technologie modernes. Car comment construire la société du savoir en Afrique sans disposer d'une pensée capable de comprendre la complexité qui se trouve au cœur même de la science, de la technologie et du développement, autrement dit sans disposer de capacités nécessaires pour engager le dialogue des cultures (Banque mondiale, 2003, p. 36) ?

Pour tout dire, là où en effet l'Occident a mis des siècles pour réussir, l'Afrique se propose de parvenir en quelques décennies. Ce télescopage temporel augmente, on s'en doute, la complexité de son entreprise de modernisation. Aussi importe-t-il de se démarquer des modes et des canons du modèle de développement occidental pour asseoir, au-delà d'une intelligence du mouvement, aujourd'hui largement reconnue, une

« intelligence de l'action » efficace. Car l'Afrique a principalement besoin d'instruments qui peuvent lui permettre d'élaborer, dans sa propre culture, une représentation valable d'une telle action dans sa quête d'un développement qui doit être perçu dans toute sa complexité. C'est dire que son processus de développement n'est pas entièrement justiciable d'une « science réductionniste/disjonctive », mais plutôt et plus largement d'une « science de la complexité » et qui doit prendre appui sur ses capacités propres à inventer. C'est pourquoi celle-ci a besoin, tout autant de « grands scientifiques » que de véritables « passeurs », de « traducteurs » (Berthoud, 1990, p. 18).

On le sait, la complexité est au cœur même de toute approche du développement durable. Or, une telle notion est, par excellence, non positive et ne doit pas être confondue avec celle de « complication ». Son étude implique des glissements de référentiels épistémologiques sur lesquels se fonde toute recherche scientifique véritable. Aux modèles classiques de la réalité en science doivent s'ajouter de nouveaux modèles moins déterministes, moins réductionnistes, plus ouverts, plus instables, et aptes au « passage » des savoirs entre des cultures différentes, entre des modes opératoires opposés les uns aux autres.

Mais, en plus de la notion de complexité, trois raisons majeures expliquent, selon nous, la difficile internalisation de la science en Afrique. La première est liée au fait que la science moderne en Afrique est la conséquence d'un fait extérieur (la colonisation) et non le produit d'une pratique culturelle propre aux populations africaines (Gaillard, 1999). Cette position extérieure de la science a conduit les Africains à la vivre, dès le départ, essentiellement comme « la chose du Blanc » et non comme un outil au service de leur développement.

La deuxième raison de l'échec, qui découle de la première, est liée au fait que la science pratiquée en Afrique n'est pas neutre. Elle participe dès le départ à l'entreprise de légitimation de la logique coloniale. Science appliquée, elle a pour ambition première de résoudre les problèmes auxquels fait face toute administration coloniale, à savoir : cartographier les nouveaux territoires, faire l'inventaire des ressources naturelles en vue de leur exploitation et de leur exportation vers la métropole, étudier les maladies tropicales et enfin mieux comprendre les populations et leurs cultures pour en faciliter le contrôle. La troisième raison, qui découle de la précédente, est la nature même de cette science : son extraversion au niveau de ses financements et de ses résultats, son isolement par rapport à la communauté internationale, mais aussi sa « primarisation ». En ce cas, l'Afrique s'apparente à un vaste laboratoire de collecte de matières premières dont la finalisation est réalisée ailleurs. L'enjeu étant alors une recolonisation de l'Afrique à travers des produits et des objets qui ont été extraits de son territoire et que ses habitants vont, à la limite, consommer, mais sans partager les bénéfices ! Les considérations qui précèdent montrent à suffisance que discourir à bon escient sur les rapports entre science et développement impose de s'appesantir, non seulement sur l'histoire de la science en Afrique, mais encore sur sa nature, sur les modes opératoires propres à chaque culture et, bien sûr, sur ses finalités. Il nous faut en effet sortir du mimétisme technocratique (en fait, clanique) qui consiste à croire que tous les peuples du monde ont les mêmes besoins, les mêmes imaginaires et donc la même « demande » de prospérité. Car le problème, au fond, n'est pas de fournir aux hommes une nouvelle idéologie, mais de savoir comment, dans notre nouveau monde, toute société peut accoucher de citoyens éclairés capables de prendre la distance nécessaire vis-à-vis de la coutume, des luttes partisanes et des idéologies, et d'engager le progrès.

Quelle science pour l'Afrique ?

Le paradigme actuel du développement est que l'avenir appartient aux « seules sociétés de savoir », autrement dit que toute société qui ne s'investit pas dans la science est appelée à disparaître (Kazancigil,

1998, p. 77). Autrement dit, le vrai capital, ce n'est pas le sous-sol, mais le gisement de matière grise.

En s'objectivant, la science occidentale est devenue fécondante pour le développement. Par le biais de la technologie, elle a permis de satisfaire, à bien meilleur compte, les besoins matériels de l'homme, en même temps qu'elle lui a donné plus d'assurance dans ses relations avec son environnement. Mais cette science utile a acquis ses lettres de noblesse principalement dans la maîtrise des processus déterministes et mécanistes.

Or, les phénomènes complexes qui caractérisent le processus de développement durable ne cadrent pas avec une conception aussi simpliste de la réalité. L'opinion la mieux avertie aujourd'hui considère que le processus de développement des nations est justiciable d'une analyse scientifique autrement plus élaborée et qui prenne en compte les socles culturels et épistémologiques propres des peuples concernés. Bref, on ne peut plus faire l'économie de l'étude des comportements du corps social et des interactions entre la science et les autres contextes. Autrement dit, si l'on veut vraiment maîtriser toutes les facettes du développement et éviter certaines alternatives mutilantes, il importe de ne pas négliger les modes opératoires propres des cultures africaines.

Pour que les pays africains puissent participer au développement, il faut d'abord qu'ils opèrent une véritable révolution copernicienne et dépassent le stade de la simple consommation des produits techniques et scientifiques élaborés ailleurs. Il faut ensuite qu'ils admettent que le vrai pouvoir n'est pas d'affirmer leur capacité à produire de la science, mais de produire par eux-mêmes des objets finis à valeur ajoutée et d'échanger avec les autres. Il faut enfin que la science ne soit plus réservée à l'élite ou à une faible partie de la population, mais soit largement partagée. De la vaste littérature consacrée à l'adaptation de la science occidentale aux sociétés non occidentales, il est possible de tirer un certain nombre d'enseignements. Prenons les exemples de régions à niveau de développement aussi opposés que le Japon et l'Afrique. Alors qu'au Japon, la science occidentale a été un instrument d'auto-affirmation nationaliste et d'indépendance vis-à-vis des puissances mondiales, en Afrique, elle a été associée à la subordination coloniale. Ce qui a conduit à une attitude fondamentale de rejet. Et c'est cette différence du rapport à la science qui explique, selon nous, pourquoi, dans le premier cas, elle a été si efficace et si intégrée et, dans le second cas, quasiment négative, même si, quand les pays africains ont accédé à l'indépendance, tous ont adopté la science occidentale comme élément fondamental de la construction d'un État moderne. Mais ce qui explique encore plus fortement les différences de développement entre le Japon et l'Afrique dans cette appropriation, ce sont les rapports que chaque société entretient avec la science. Au Japon, le groupe social concerné par la science était l'ancienne classe guerrière des samouraïs, désormais engagée dans un mouvement d'auto-affirmation de l'État-nation après une longue période de décentralisation féodale et d'isolement. Dans ce cas, celui-ci a permis de relier la pensée savante japonaise et la science moderne. En Afrique, au contraire, c'est la vieille aristocratie des peuples côtiers qui a essayé de maintenir des situations de rente avec le colonisateur et qui a voulu délier croyances traditionnelles et rationalité occidentale.

Or, ici se situe véritablement le point de rupture. Il ne suffit plus en effet que les sociétés (et les individus) prouvent leur capacité à faire de la science et à concevoir des objets scientifiques, il faut passer désormais à la production de produits finis et à l'industrialisation. Mais cela suppose, si l'on ne veut pas en rester à la simple fonction imitative, l'intégration de ce que Horton appelle « la conscience des savoirs alternatifs » (Horton, 1990, p. 55). Car c'est parce qu'un tel mouvement n'a pas été opéré à un niveau et dans un volume suffisamment crédibles, dans un temps long et autour d'une démarche stratégique librement déterminée, que l'Afrique n'a pas réussi son décollage économique. Si donc la modernisation des sociétés passe par la maîtrise du savoir, nos pays doivent encourager et promouvoir la formation et la recherche. Mais une telle démarche n'est jamais évidente, car elle appelle la formulation (ou la reformulation) du paradigme même du développement.

Quel développement ?

Les pays africains sont aujourd'hui confrontés à des ajustements socio-économiques dont les conséquences pour l'avenir du continent ne sauraient être mésestimées. Depuis plus de trois décennies, ils ont subi plusieurs chocs qui ont profondément altéré le paysage socio-économique du continent : explosion démographique, crises pétrolières, stagflation, détérioration des termes de l'échange, dévaluation. Mais la réponse à une telle crise ne saurait être simplement extérieure, elle repose d'abord sur notre capacité à réinventer notre modernité. Compte tenu de son retard, dans tous les secteurs traditionnels du développement socio-économique national, et du poids démographique, il est évident que toute stratégie acceptable de développement doit s'attacher au minimum à élargir et à approfondir la base industrielle et agricole de l'économie de façon à garantir le nombre d'emplois productifs compatible avec le taux de croissance de la population et à assurer à chaque individu, pour le moins, la satisfaction des besoins de base que sont l'énergie, la nourriture, l'habillement, le transport et le logement. La réussite d'un tel programme nécessite au préalable la mise en place d'une infrastructure de base adéquate : routes, chemins de fer, fourniture d'énergie, fourniture d'eau, etc. Or, les acquis scientifiques et technologiques dont peut se prévaloir l'humanité aujourd'hui sont largement suffisants pour appuyer ces actions. Encore faut-il que l'ensemble de l'humanité puisse accéder à ce savoir, le partager et le féconder avec ses savoirs traditionnels, avec sa culture ordinaire ! Dans sa célèbre comparaison entre la « pensée traditionnelle africaine » et la « science occidentale » et son essai de reformulation des concepts de « tradition » et de « modernité » appliqués au champ des savoirs, Horton évoque une différence essentielle, « deux oppositions fondamentales » : « celle entre une conception traditionaliste et une conception progressiviste du savoir ; et celle entre un mode consensuel et un mode compétitif d'élaboration du savoir secondaire ». Selon lui et d'autres, comme Mudimbe et Appiah, les contextes traditionnels africains n'autorisent pas la concomitance de savoirs concurrents ou de théories rivales. La « prépondérance de tabous » vise à « écarter et, si possible, à éliminer l'expérience rebelle », et les « rites destinés à l'abolition du temps permettent d'ignorer le cumul de telles expériences » (Horton, 1990a, 1990b). Ainsi s'opère « au fil des siècles » un mélange inconsistant des expériences accumulées et des dogmatismes liés à l'ignorance. L'adhésion à la vérité des anciens et le mode consensuel de gestion de ces savoirs distingueraient ceux-ci de la science occidentale où compétition, expérimentations concurrentes, relativisation constante du savoir, croyance à la possibilité d'un meilleur savoir, etc., constituent la règle motrice.

On le voit, le fait que l'Africain moderne n'arrive pas à concilier l'ensemble des connaissances traditionnelles et scientifiques dont il dispose pour inventer sa modernité le place dans une situation de blocage. Ce retard ne cesse d'inquiéter et de faire l'objet d'interrogations fortes (Horton, 1990a, p. 141, et 1990b) que des disparités trop criantes ou des mauvais ajustements trop accusés entre les avancées purement matérielles d'une société et la culture non matérielle conduisent à des tensions insupportables qui peuvent entraîner la décomposition et la destruction de la société. La conséquence de cette situation, en Afrique, est que nos pays n'arrivent pas à devenir le lieu de véritables enjeux économiques et sociaux. La juxtaposition des deux modèles culturels et économiques, la désagrégation de la société et l'incapacité à repenser le développement, tout cela a conduit à des impasses graves. Le plus important, aujourd'hui, est d'en sortir et de permettre à ces sociétés de retrouver leur tradition et de leur capacité d'invention.

Il est possible d'intégrer dans une seule et même approche conceptuelle de base, et à un niveau hiérarchique adéquat, les cultures traditionnelles et la modernité. Une telle alliance, dans la perspective du développement, permettrait d'ailleurs de redonner du sens à l'intelligence créatrice qui est l'une des clés du succès et de prendre en compte le génie inventif africain. Pour y parvenir, une condition est nécessaire. Il s'agit de l'élargissement des espaces de liberté, seul capable de traiter les opérateurs économiques et sociaux en adultes, libres de leur choix et capables de prendre des initiatives. Cependant, libérer les choix, c'est mettre l'accent sur l'individu sans cependant attenter à l'esprit communautaire qui est un des acquis majeurs que l'Afrique traditionnelle offre à l'Afrique moderne. Libérer les choix, enfin, c'est également trouver une solution adéquate au problème de l'asservissement de fait, encore dans les villes et les campagnes, par exemple, de la femme, asservissement qui fait obstacle aux stratégies de développement. C'est aussi et enfin trouver une solution au problème culturel de la gestion du temps.

On pourrait allonger la liste des questions. Mais ce qui est sûr, c'est que personne ne peut penser, d'une part, que la croissance apportera avec elle nécessairement plus de bonheur et de démocratie, et, d'autre part, que le développement exige la croissance et, par conséquent, la seule rationalité économique. La science ne peut apporter du développement durable si elle est instrument de domination et d'oppression d'un groupe sur un autre. Car une science qui isole, qui s'enferme dans la quête de l'origine, de l'homogénéité, n'est en fait qu'un mensonge de référence ou une idéologie. Ainsi, l'Afrique ne se développera que si elle réussit à faire émerger de nouveaux questionnements et à formuler de nouveaux objets de recherche. Elle n'a d'avenir, enfin, que dans une appropriation positive et critique de la science, que dans sa capacité à faire se féconder la diversité de ses cultures et la science occidentale. Et c'est l'ambition de la Francophonie universitaire de promouvoir la diversité culturelle et donc la condition majeure d'un développement bien compris et qui soit porteur de la richesse du monde. En effet, il faut « Que nous répondions présents à la renaissance du monde, / Ainsi que le levain qui est nécessaire à la farine blanche » (L. S. Senghor, « Prière aux masques », in *Chants d'Ombre*, Paris, Le Seuil, 1945). Car alors, sans cela, où serait l'espoir du monde ?

Références bibliographiques

BANQUE MONDIALE, *Rapport sur le développement du monde*, New York, 1999.

—, *Construire les sociétés du savoir : nouveaux défis pour l'enseignement supérieur*, Presses de l'université Laval, 2003.

BERTHOUD, G., « Le métissage de la pensée », in *La Pensée métisse : croyances africaines et rationalité occidentale en question*, PUF, Paris, Cahiers de l'IUED, Genève, 1990.

DELAS, J.-P., *fconomie contemporaine. Faits, concepts, théories*, Paris, Ellipses Éditions Marketing, 2001.

ETOUNGA MANGUELLE, D., *L'Afrique a-t-elle besoin d'ajustement culturel ?*, Paris, 1990.

GAILLARD, J., La Coopération scientifique et technique avec les pays du Sud, Karthala, Paris, 1999.

GAILLARD, J., WAAST, R., « Quelles politiques de coopération scientifique et technique avec l'Afrique ? », in *Afrique contemporaine*, n° spécial, 4e trimestre 1998.

NATIONS UNIES, *Le Développement économique de l'Afrique : résultats commerciaux et dépendance à l'égard des produits de base*, New York et Genève, 2003.

La diversité linguistique : enjeux pour la francophonie

Louis-Jean Calvet

Reprise du n° 40 de la revue *Hermès*,
« Francophonie et mondialisation », 2004

Les langues du monde : état des lieux

Il existe aujourd'hui à la surface du globe entre 6 500 et 7 000 langues dont les unes sont parlées par plus de cent millions de personnes (le chinois, l'anglais, le malais, l'espagnol, le portugais, l'arabe, le français, le hindi…) et les autres par une poignée de locuteurs. On imagine aisément que ces dernières ont un avenir sombre, condamnées à disparaître dans un proche avenir. Celles qui sont le plus parlées, comme toutes les langues qui se sont répandues sur un vaste territoire, sont de leur côté confrontées à la possibilité d'éclatement : face au français ou à l'anglais standards, on voit apparaître en Inde, au Sénégal, au Congo ou au Nigeria des formes locales qui pourraient se transformer en langues nouvelles, comme le latin s'est transformé en diverses langues ou comme l'arabe classique a donné les formes « dialectales » actuelles.

Il est possible de mettre de l'ordre dans ce grand désordre babélien à l'aide de ce que j'ai appelé le *modèle gravitationnel* (Calvet, 1999), en partant de l'idée que les langues sont reliées entre elles par les bilingues. Autour d'une langue hyper-centrale, l'anglais, dont les locuteurs présentent une forte tendance au monolinguisme, gravitent ainsi une dizaine de langues super-centrales dont les locuteurs, lorsqu'ils sont bilingues, ont tendance à parler soit une langue de même niveau, soit l'anglais. Autour de ces langues super centrales gravitent une centaine de langues-centrales qui sont à leur tour le centre de gravitation de milliers de langues périphériques.

Mais cette organisation des langues du monde que nous propose ce modèle n'est qu'une photographie de la situation, qui est, bien entendu, traversée par l'histoire. Notons tout d'abord, que ces langues sont assez inégalement réparties sur la surface du globe : l'Europe, par exemple, est un continent pauvre en langues tandis que l'Afrique et l'Asie comptent plus de 60 % des langues du monde.

Quels sont les facteurs expliquant cette pauvreté relative de l'Europe ou des Amériques ? L'ancienneté des États tout d'abord, dont les langues officielles ont partout tendance à faire disparaître les langues locales minoritaires. L'urbanisation ensuite, la ville étant un lieu d'unification linguistique. Mais aussi une tendance des locuteurs de langues minoritaires à céder face à la pression des langues dominantes et à ne plus transmettre à leurs enfants des langues qu'ils estiment inutiles, surtout dans les villes.

Or, le taux d'urbanisation est en croissance constante. Nous avions dans l'ensemble du monde 29,4 % d'urbanisation en 1950 (c'est-à-dire que 29,4 % de la population mondiale vivait dans les villes), 37 % en 1970, 43,6 % en 1990, 48,2 % en 2000. De ce point de vue, les zones les plus riches en langues (en Afrique, en Asie) étant en voie d'urbanisation rapide, on peut prévoir que le nombre de langues y diminuera. Nous avons là un indicateur fiable, un paramètre dont la validité a été maintes fois testée : la ville, et en particulier la capitale, est une grande dévoreuse de langues, elle attire des ruraux ou des provinciaux qui viennent à la fois y gagner leur vie et y perdre en quelques générations leurs langues.

La « mort des langues ». C'est sur cette métaphore biologique que reposent les discours écologiques-alarmistes qui appellent depuis quelques années à la mobilisation autour des langues menacées. Pourtant, depuis que l'espèce humaine parle, les langues n'ont cessé de se remplacer les unes les autres, de « mourir » et de « naître » pour rester dans cette métaphore. Ce qui inquiète en fait, aujourd'hui, ce n'est pas que des langues disparaissent (cela a toujours été le cas), mais que leur nombre diminue, que ces disparitions ne soient pas compensées par des apparitions. Il est possible de tenter de comprendre l'évolution de la situation à l'aide de ce que j'appelle un *modèle logistique*. La population humaine est, depuis son origine, en constante augmentation et les projections à long terme donnent une augmentation continue au moins jusqu'en 2150. C'est-à-dire que cette population est encore dans sa phase de croissance géométrique. La dynamique des populations nous enseigne qu'à partir d'un état initial, une population connaît d'abord une croissance exponentielle (ou géométrique), jusqu'à ce qu'elle atteigne une biomasse maximale (Daget, 1993, p. 138-140). Pour R. Barbault, « le taux d'accroissement réel diminue puis devient nul, le surpeuplement provoquant, soit une diminution de la natalité (et de l'immigration), soit une augmentation de la mortalité (et de l'émigration), soit les deux à la fois ». La croissance d'une population ne serait donc pas géométrique, mais logistique, restreinte par une « capacité limite K » que Barbault définit comme la « *capacité biotique* du milieu pour la population considérée » (Barbault, 1881, p. 12). En d'autres termes, dans des conditions optimales, lorsqu'elle ne rencontre aucune limitation spatiale ou alimentaire, une population peut avoir une croissance géométrique, mais elle finit toujours par rencontrer dans son expansion une résistance du milieu qui va la limiter. Or la population linguistique semble avoir atteint sa biomasse maximale et se trouver maintenant dans sa phase de croissance logistique.

Cette hypothèse de croissance n'a pas pour fonction de nourrir le pessimisme, mais de faire comprendre les choses pour nous aider à agir. À partir de ces données statistiques et de ces grandes tendances, est-il possible de dégager des modes d'intervention ?

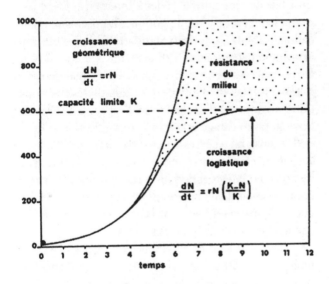

Mondialisation et diversité : l'exemple d'Internet[1]

Internet est un bon exemple de la situation actuelle et de son évolution possible. Si le « Web » réduit les distances et met gratuitement à la disposition de tous des informations illimitées et souvent impossibles à trouver ailleurs, sa gratuité a une exception : le péage imposé aux langues. Les langues doivent en effet payer des droits de douane pour accéder à Internet, et le meilleur exemple en est celui de la graphie. La première codification, l'ASCII (American Standard Code for Information Interchange), avait 128 caractères, c'est-à-dire les lettres utilisées pour écrire l'anglais, en majuscules et minuscules, les dix chiffres, les parenthèses, les points d'interrogation et d'exclamation, l'espace blanc, le symbole du pourcentage et, de façon significative, celui du dollar, ainsi, bien sûr, que l'arobase. Il n'y avait donc ni accents, ni cédilles, ni trémas, ni tildes, ni points d'exclamation ou d'interrogation inversés, et le français, l'espagnol, l'allemand ou l'italien, pour ne parler que des langues européennes, se trouvaient donc face à une barrière douanière : on ne passe pas !

Or, en passant de 7 à 8 bits, et de 128 à 256 caractères, de l'ASCII à l'ASCII étendu, ou au système Unicode qui permet de codifier en 16 bits, c'est-à-dire en passant de 2 puissance 7 à 2 puissance 8 ou à 2 puissance 16, on peut résoudre non seulement le problème des langues que je viens de citer, mais aussi celui des langues utilisant d'autres systèmes graphiques : arabe, russe, hébreu, chinois, etc. Nous n'en sommes pas là, mais ce droit de douane imposé aux langues pour accéder à Internet, ajouté au fait que le « Web » avait été créé par des anglophones et pour les anglophones, a fait que beaucoup ont pensé que l'anglais y régnerait en maître et que la « toile » serait donc le royaume de l'uniformité.

De façon significative, de nombreux ouvrages ont été tout récemment consacrés à ce problème. Je n'en citerai que trois, qui concernent trois des principales langues européennes :

– Jacques Anis (dir.), *Internet, communication et langue française*, Paris, 1999.

– José Antonio Millan, *Internet y el español*, Madrid, 2001.

– David Crystal, *Language and the Internet*, Cambridge, 2001.

Ce dernier ouvrage donne les résultats d'une évaluation effectuée en 1997 selon laquelle on avait sur le Web 82,3 % des pages en anglais, 4 % en allemand, 1,6 % en japonais, 1,5 % en français, 1,1 % en espagnol, 0,8 % en italien, 0,7 % en portugais, 0,6 % en suédois, etc. En fait, les choses sont en pleine évolution. Entre 1998 et 2000, le pourcentage de pages en anglais a baissé de 20 % (60 % de pages en anglais en 2000), celui des pages en espagnol a augmenté de

95 % (4,85 % de pages), celui des pages en français a augmenté de 55 % (4,39 %), celui des pages en portugais a augmenté de 162 % (1,97 %), etc. Et une étude réalisée en 2001 montrait que le pourcentage de pages en anglais était descendu à 50 % tandis que celui des pages en espagnol atteignait 5,62 %, celui des pages en français 4,57 %, etc. Cette évolution avait d'ailleurs été prévue par certains observateurs plus perspicaces que les autres. Le Québécois Jean-Claude Corbeil écrivait par exemple en 2000 : « À très brève échéance la présence de l'anglais devrait diminuer à plus ou moins 40 % lorsque des sites seront créés dans divers pays, au fur et à mesure qu'ils se brancheront sur le réseau » (Corbeil, 2000, p. 129).

Il est vrai qu'à la même époque 66 % des internautes étaient américains, anglais, australiens ou canadiens anglais (et leur nombre relatif diminue : ils étaient 76,7 % en avril 1996[2]), et qu'il y avait un lien direct entre ce pourcentage et celui des pages en anglais. De ce point de vue, il est aisé de prévoir deux tendances complémentaires :

– une tendance à l'augmentation de la présence sur le Web des langues des pays développés, ceux dans lesquels le parc informatique et la fréquentation d'Internet sont importants ;

– une tendance à la minoration des langues des pays du tiers-monde, dans lesquels les conditions financières limitent considérablement ces deux facteurs.

Ces chiffres, que je suppose indiscutables et qui sont en pleine évolution, nous montrent que, de la même façon que les langues appartiennent à ceux qui les parlent, Internet appartient à ceux qui l'utilisent. Et les internautes, en investissant ainsi le Web, en intervenant *in vivo*, ont prouvé d'une part que la menace du « tout anglais » était un mythe, même si l'anglais restera longtemps la langue la plus utilisée sur le réseau, et d'autre part que l'organisation linguistique du Web, les pourcentages de pages en différentes langues, pourrait tendre vers quelque chose de semblable à l'image des rapports entre les langues que donne le modèle gravitationnel présenté plus haut. Il conviendrait d'ailleurs d'enrichir ce modèle, fondé sur les bilinguismes, en y intégrant ces données « Webiennes ». Mais la façon dont je viens de les présenter est incomplète. Il est en effet fréquent que les pages en « langues centrales », voire « supercentrales », affichent dans un coin l'indication que les informations sont également disponibles en anglais. C'est-à-dire que deux fonctions se manifestent ainsi, une fonction grégaire ou vernaculaire, qui passe par exemple par l'utilisation du catalan, du galicien ou du breton sur un site, et une fonction véhiculaire qui passe par le doublage de ces langues en anglais. De ce point de vue, si je ne me trompe pas (je n'ai pas de chiffres sur l'importance statistique de ce « doublage »), les progrès des « petites » langues sur le Web pourraient bien faire illusion et cacher en fait une avancée de l'anglais sous une autre forme.

Diversité horizontale et/ou verticale ?

Internet et le Web, vécus à l'origine comme des lieux de totale domination de l'anglais, sont donc en train de se plier lentement à la réalité plurilingue du monde et de manifester en même temps le statut dominé de certaines langues. Et c'est ici qu'apparaît la question de la diversité. La *diversité* est définie par le dictionnaire comme « caractère, état de ce qui est divers » ou comme « divergence, écart, opinion ». C'est, bien sûr, en son premier sens qu'il faut l'entendre lorsque la francophonie l'avance comme slogan mobilisateur depuis quelques années : il s'agit en fait de la suite logique de l'*exception culturelle*, ou de l'application de cette exception culturelle aux langues. Mais cette définition minimaliste ne doit pas nous empêcher d'interroger plus avant cette notion. Je distinguerai pour ma part, en référence au *modèle gravitationnel* esquissé plus haut, deux types de diversité, l'un horizontal et l'autre vertical. Lorsque la francophonie, l'hispanophonie et la lusophonie font alliance, dans le cadre des « trois espaces linguistiques » (TEL³) par exemple, pour exiger le respect des règlements linguistiques dans les organisations internationales, elles se battent pour une *diversité horizontale*, qui concerne des langues de même niveau dans le modèle (des langues « super-centrales ») et cela pourrait s'apparenter à une sorte de Yalta linguistique, une volonté d'aménager le versant linguistique de la mondialisation au bénéfice de ces trois langues. Car dans chacun de ces trois espaces linguistiques existent d'autres langues, le plus souvent dominées, et se pose alors le problème d'une *diversité verticale*, des rapports entre ces langues et celles qui gravitent autour d'elles (les langues « centrales » ou « périphériques »). Que signifie par exemple la diversité linguistique pour les locuteurs du wolof au Sénégal, du bambara au Mali, du bamiléké au Cameroun ou du lingala au Congo ? Et en quoi la défense du français les concerne-t-elle ?

Si l'idée est de préserver la diversité linguistique du monde, on peut imaginer pour les politiques linguistiques deux directions d'intervention.

La première concerne la diversité entre les langues les plus parlées, les langues « super-centrales » du modèle gravitationnel, et implique par exemple une lutte pour le respect des règlements linguistiques dans les organisations internationales (ONU, Unesco, etc.) ainsi qu'une réflexion sur la gestion des langues dans l'Union européenne. C'est sur ces points que la francophonie politique s'est associée dans le cadre des

TEL aux organismes lusophones et hispanophones pour mettre sur pied des actions communes, se préoccupant par exemple de la formation en français de fonctionnaires internationaux venant des futurs pays membres de l'UE.

La seconde concerne les langues les moins parlées, les plus menacées. Si la diversité linguistique à laquelle pensent en général les grands ensembles (francophonie, hispanophonie…) peut, en effet, être qualifiée de « diversité horizontale », ne concernant que la défense des langues « super-centrales », il est difficile de ne pas songer à la « diversité verticale », concernant les langues qui gravitent autour de ces langues « super-centrales ». En d'autres termes, la défense du français dans le monde, pour être crédible, doit aussi prendre en compte le sort des « petites » langues, faute de quoi le combat de la francophonie, de l'hispanophonie et de la lusophonie face à l'anglais pourrait s'apparenter, je l'ai dit, à une sorte de Yalta linguistique.

Mais cela ne signifie nullement qu'il faille par principe protéger toutes les langues menacées comme on défend les baleines ou les bébés phoques. Si les langues n'existent que par leurs locuteurs, on pourrait ajouter qu'elles existent pour leurs locuteurs : toute politique linguistique devrait avoir comme principe premier que *les langues sont au service des êtres humains et non pas l'inverse.* De ce point de vue, il ne s'agit pas de voler au secours de n'importe quelle langue menacée de disparition, de soutenir toutes les revendications communautaires ou nostalgiques, mais de se demander quelles sont les besoins linguistiques des citoyens. S'il est évident que l'État a le devoir de donner aux citoyens le contrôle de la langue nationale ou officielle (alphabétisation, scolarisation, etc.), il doit en même temps leur permettre, s'ils le désirent, de conserver une langue identitaire et il devra de plus en plus leur donner une langue d'accès au reste du monde, une langue véhiculaire. Ces trois fonctions (identitaire, nationale, véhiculaire) peuvent bien sûr être remplies par une, deux ou trois langues selon les situations concrètes, mais c'est sans doute ce plurilinguisme des citoyens de demain qui garantira la diversité : un plurilinguisme adapté aux besoins des citoyens.

Acclimatement, acclimatation et diversité

On distingue en écologie *acclimatement* et *acclimatation*. Lorsqu'une espèce (animale ou végétale) est déplacée, elle s'acclimate ou disparaît. Mais elle peut s'acclimater de deux façons : soit elle survit simplement, et l'on parle d'acclimatement, soit elle survit et se reproduit, et l'on parle d'acclimatation. L'acclimatement constitue donc une réponse à un stimulus extérieur qui débouche sur une adaptation transitoire : l'espèce s'adapte momentanément au milieu pour survivre. L'acclimatation, elle, implique une évolution de certaines caractéristiques de l'espèce lui permettant de se reproduire dans ce nouveau milieu. Il en va de même pour les langues. Le néerlandais, par exemple, a connu en Indonésie, à l'époque coloniale, une période d'acclimatement sans lendemain, tandis que le latin constitue un bon exemple d'acclimatation à différents milieux d'une langue venue de Rome et ayant évolué vers le français, l'italien, l'espagnol, etc.

De la même façon, nous pourrions dire que le français est peut-être en train de s'acclimater en Afrique. Je ne peux, bien entendu, pas savoir aujourd'hui s'il passera par une phase d'acclimatement ou d'acclimatation : seule l'histoire nous le montrera. Mais l'acclimatation d'une espèce implique toujours un changement, une adaptation aux conditions climatiques, par exemple. Il en va de même pour les langues, même si le climat ne joue ici aucun rôle. L'espagnol et le portugais en sont de bons exemples. Ils constituent, d'abord, des cas évidents d'acclimatation. Mais, en même temps, le portugais du Brésil n'est plus vraiment celui du Portugal, et l'espagnol du Chili, de l'Argentine ou de Cuba ne sont pas les mêmes que la forme parlée en Espagne. Or, pour revenir au français et à l'Afrique, nous voyons aujourd'hui se manifester dans différents pays francophones des formes locales caractéristiques et reconnaissables (français du Mali, du Sénégal, de Côte d'Ivoire, du Gabon…) qui sont peut-être les prémices d'une acclimatation.

Je veux dire que si ces pays francophones conservent le français comme langue officielle, alors le français deviendra un français local, de pays en pays. Et ceci nous mène à d'autres questions de politique linguistique, en particulier au problème de la norme. Il existe dans le monde hispanophone des académies de la langue, pays par pays, et la Real Academia se vante d'intégrer à son dictionnaire des formes non ibériques. Rien de semblable pour le français : il n'existe pas d'Académie congolaise ou sénégalaise, et si les dictionnaires français intègrent parfois des formes sénégalaises, par exemple, c'est parce que des Français en décident ainsi. On continue dans le même temps à enseigner au Sénégal le français standard hexagonal. À l'heure où la francophonie met au centre de ses préoccupations la diversité, il ne faut pas oublier que le respect de cette diversité impliquerait précisément la prise en compte de ces formes locales.

Pour conclure, on est tenté de dire que la diversité, c'est aussi les autres. Et l'enjeu est de taille, car il concerne à la fois la crédibilité de la lutte pour la diversité amorcée par ces « trois espaces linguistiques » et son efficacité. Faute de quoi on pourrait se demander s'il ne s'agit pas d'une notion à géométrie variable, destinée simplement à servir de bouclier à la défense du français.

NOTES

1. Ce passage sur Internet doit beaucoup à Juan-Antonio Millan, 2001.

2. *Business Week*, cité par David Crystal, 1997, p. 106.

3. C'est le nom de l'opération commune menée depuis trois ans par l'Organisation internationale de la francophonie, l'Organisation des États ibéro-américains, l'Union latine et la Communauté des pays de langue portugaise [http://www.3el.org].

Références bibliographiques

ANIS, J. (dir.), *Internet, communication et langue française*, Paris, 1999.

BARBAULT, E., *Écologie des populations et des peuplements*, Paris, Masson, 1981.

CALVET, L.-J., *Pour une écologie des langues du monde*, Paris, Plon, 1999.

CORBEIL, J.-C., « I comme informatique, industries de la langue et Internet », in *Tu parles ! ? Le français dans tous ses états*, Paris, Flammarion, 2000.

CRYSTAL, D., *Language and the Internet*, Cambridge, 2001.

DAGET, J., « Biodémographie », in *Encyclopedia universalis*, t. 4, Paris, 1993.

MILLAN, J. A., *Internet y el español*, Madrid, 2001.

Un atout pour l'autre mondialisation

Dominique Wolton

Reprise du n° 40 de la revue *Hermès*, « Francophonie et mondialisation », 2004

Pourquoi la Francophonie n'est-elle pas plus présente dans l'espace public français, d'autant que la mondialisation repose brutalement la question des rapports entre culture, communication, politique ? Pourquoi tant d'intérêt pour les débats franco-français, une inquiétude légitime pour la diversité culturelle en Europe et une aimable indifférence à l'égard de la Francophonie, pourtant aux premières loges des affrontements culturels mondiaux ? La France n'est pas assez attentive à ses racines mondiales, qui lui donneraient une force considérable. Elle est trop centrée sur elle-même et sur l'Union européenne, sans réaliser que les expériences, analyses et patrimoines liés aux expériences de la Francophonie et des Outre-Mers sont des moyens indispensables pour aborder les problèmes de cohabitation culturelle à construire au *sein de l'Europe*.

France et Francophonie

Le défi de la Francophonie n'est pas la gestion des restes de l'empire, pas plus d'ailleurs que pour les Outre-Mers. Il est au contraire la capacité à y voir, en grandeur nature, et en accéléré, une bonne partie des enjeux politiques et culturels de la mondialisation. La Francophonie est l'avant-garde de la pluralité des modèles de développement. Elle ne ferme pas le jeu, elle l'ouvre. Le début du XXIe siècle serait pourtant l'occasion d'évaluations équilibrées du bilan des colonisations et de la décolonisation. Il existe une sorte de triangle maudit, décolonisation – Outre-Mer – Francophonie qui empêche de passer à une autre étape de l'histoire.

Les Outre-Mers et la Francophonie sont les *deux racines* de la mondialisation de la France. L'Outre-Mer, en posant directement la question du *multiculturalisme* qui est déjà une réalité française, insuffisamment vue et revendiquée ; la Francophonie, en posant directement la question de la *diversité culturelle* qui est au cœur des enjeux de la mondialisation.

La *diversité culturelle* est un *fait* qui s'impose au monde : diversité des langues, des religions, des cultures… Le *multiculturalisme* est le moyen de gérer cette diversité culturelle au sein des États-nations. Les États-Unis, le Brésil, le Canada… sont des États multiculturels. J'appelle *cohabitation culturelle* cette gestion de la diversité culturelle au niveau mondial dans le droit-fil des chartes de l'ONU : respect des identités et adhésion aux valeurs de la communauté.

Quatre actions sont prioritaires

1. *Ordonner et resserrer les institutions* pour que la Francophonie ait une place meilleure dans l'espace public français. Il faut réduire l'empilement d'institutions s'occupant de Francophonie au niveau de l'État français. Pas moins de *quatre* structures et autant de guichets financiers : le quai d'Orsay (ministère de la Coopération et de la Francophonie – DGCID – Affaires francophones…). Le ministère de la Culture (Délégation générale à la langue française…). Le ministère de l'Éducation nationale (DRIC…). Quant au ministère de l'Outre-Mer, il n'a *aucun* rapport avec la Francophonie ! Parce que c'est « la France ». Ce trop grand nombre de structures françaises n'empêche pas une réduction catastrophique des moyens financiers pour l'action culturelle extérieure. Années après années, souvent sournoisement, les projets diminuent, le réseau culturel rétrécit, les centres ferment…

Personne ne souligne cette contradiction effarante pour un pays à « vocation mondiale », où chacun vante les nécessités et les vertus de la mondialisation, en même temps que l'on réduit les capacités d'action culturelle dans le monde. En un mot, des regroupements institutionnels sont à faire du côté de l'État français, ce qui obligerait la Francophonie à faire de même. Faute de ces réformes simples, la Francophonie pourrait bien devenir le « Poulidor » de la diversité culturelle.

2. *Valoriser les réalisations de l'OIF*. L'AUF crée de réelles solidarités humaines et permet de dépasser le rapport Nord/Sud. Elle est d'ailleurs un peu le laboratoire de l'OIF, en faisant notamment le lien entre enseignement, culture, politique et développement. Avec des accords entre 526 universités et instituts dans le monde, 2 000 boursiers, sur les 10 000, elle constitue un réseau à valoriser. Quand on franchit « la frontière », on est d'ailleurs étonné du nombre, et de la diversité, des activités et des initiatives. D'ailleurs les pays francophones, en élisant Boutros Boutros-Ghali, puis Abdou Diouf à la tête de l'OIF, ont décidé à juste titre de donner une voix et un visage à la Francophonie. La personnalisation du pouvoir est indispensable avec la mondialisation.

3. *Relier les* trois mondes *de la Francophonie* : la Francophonie officielle, dont la dynamique n'est pas assez perçue de l'extérieur ; la société civile qui existe, mais n'est pas valorisée ; la Francophonie sauvage qui

échappe souvent. Et la pointe visible de l'iceberg officiel masque les deux autres mondes. À la limite, deux univers cohabitent. Celui de la Francophonie officielle, celui de la société civile. D'un côté, un monde propre, diplomatique, faussement immobile, de l'autre des initiatives ignorées. Pourquoi et comment un jeune de 20 ans pourrait-il avoir envie de militer dans la Francophonie ? Ouvrir les fenêtres, rendre visibles les contradictions, relier ce pari aux valeurs souvent communes qui existent avec d'autres ONG humanitaires serait peut-être un moyen de rendre la Francophonie plus attractive.

4. *L'Histoire et ses fractures.* Le refoulement de l'histoire de la colonisation et de la décolonisation pèse, alors même que nous sommes *déjà* dans une autre Histoire, celle de la mondialisation. Un des enjeux nouveaux de la mondialisation est de reprendre l'histoire précédente. Pour sortir de ces Histoires, il faut en parler, une bonne fois pour toutes, mais la France, comme la plupart des puissances coloniales européennes, reste amnésique. Pas de Francophonie pourtant sans travail sur l'histoire coloniale. Après tout, le 60e anniversaire du Jour du Débarquement, le 6 juin 2004, a permis de *réunir* de manière particulièrement émouvante les ennemis d'hier, et d'associer les Russes à l'ouverture de cette nouvelle histoire à construire. Fantastique événement pour l'Europe et le monde. Pourquoi ne serait-il pas possible de *réussir à faire la*

même chose pour la décolonisation ? Mais, ce n'est pas seulement l'histoire de la *colonisation* et de la *décolonisation* qu'il faut reprendre, c'est aussi celle de *l'immigration* depuis trois générations. Rétablir les faits. Assumer l'histoire pour retrouver la solidarité. Sortir du silence pour dépasser les contentieux.

Langue-culture-diversité culturelle

En élargissant son champ d'action, la Francophonie reste fidèle à une certaine conception de la culture qui est de s'intéresser aux conditions sociales, politiques et économiques de la vie des hommes. Les pères fondateurs de la Francophonie (L. S. Senghor, H. Bourguiba, H. Diori, N. Sihanouk) parlaient d'ailleurs de « valeur commune » pour le développement. La langue a été rapidement reconnue comme la première condition des *valeurs partagées* et en moins d'un demi-siècle on a assisté, à juste titre, à l'affirmation des liens inévitables entre langue et culture. Pas de Francophonie sans respect de sa *propre* diversité culturelle, condition ultérieure de la diversité culturelle mondiale.

Ce lien entre langue, culture et diversité culturelle est à lui seul le raccourci le plus fort du projet de solidarité de la Francophonie. En passant de la langue à la culture, la Francophonie passe de l'unilinguisme au multilinguisme, puisque défendre le français, c'est reconnaître la légitimité des *autres* langues. Le lien entre langue et culture permet de voir comment la culture, depuis toujours, est une *ressource politique.* C'est d'ailleurs comme cela que la définit l'Unesco dans sa déclaration sur la diversité culturelle de décembre 2001. « Ce sont les traits distinctifs spirituels et matériels, intellectuels et affectifs qui caractérisent une société ou un groupe social... Elle englobe, outre les arts et les lettres, les modes de vie, les façons de voir ensemble, les systèmes de valeur, les traditions et les croyances ».

Cette définition permet de faire le lien entre la culture patrimoine *et* la culture projet, ce que j'appelle la culture *refuge* et la culture *relationnelle* (cf. *L'Autre mondialisation*, Flammarion, 2003). Et ce sont ces *deux identités culturelles* dont les peuples ont aujourd'hui besoin. Assumer les racines et trouver les moyens de comprendre le monde contemporain, pour le transformer. Le lien, aujourd'hui très fort, entre la culture *et* les techniques de communication (presse, radio, TV, Internet) oblige encore plus à penser les rapports entre langue-identité culturelle *et* communication.

En réalité, la mondialisation accentue l'effet de boomerang du couple culture-communication. Plus le monde s'ouvre, plus les revendications identitaires, donc linguistiques, s'affirment. Ce n'est pas le refus de la modernité, mais la volonté de la domestiquer. La Francophonie contribue à conjuguer maintien de l'identité *et* ouverture au monde, surtout avec la mondialisation de la communication où l'arrivée d'images, d'informations et de données du monde entier renforce la volonté de garder les langues locales. La défense du multilinguisme inhérent à la Francophonie permet donc à la fois ce maintien des identités et cette ouverture au monde. Elle contribue à résoudre ce que j'appelle le *triangle infernal* du XXIe siècle : les rapports entre identité, culture et communication. Gérer la diversité culturelle, c'est gérer ces trois relations assez conflictuelles.

En moins de vingt ans, l'accentuation des échanges et l'omniprésence de la communication ont renforcé l'importance du lien culture-communication, insuffisamment explicite et valorisé.

Le XXIe siècle est caractérisé à la fois par la *mobilité* et l'*identité*. On le voit très bien au travers de la *créolisation du français*, moyen à la fois de conserver les racines *et* de s'adapter à la modernité. Le phénomène général de créolisation – on pourrait presque parler de concept – est le moyen pour les populations de « coloniser » le français et lui permettre de servir de tête de pont, de passage entre la tradition et la modernité. Le langage « beur » s'est imposé en dix ans comme le langage de la jeunesse. Terrible revanche politique de ceux qui, dominés culturellement et souvent socialement, ont su faire de leur langue une arme de conquête de la rue puis de l'espace symbolique de la ville et finalement d'une bonne partie de la culture des jeunes. Adapter le français à l'économie, à toutes les formes de modernité et de créolisation est aussi le moyen d'éviter de l'enfermer dans le caveau de la culture. Il ne faut pas arriver à cette opposition entre une langue *anglaise*, rapide, symbole de la liberté, du business, de la modernité et le *français*, langue de la culture et de la politique. Cette dichotomie conduit au ghetto et explique notamment toute l'attention qu'il faut apporter aux créoles. *Les métissages linguistiques sont des enrichissements.*

Trois chantiers sont à mener

1. *La nouvelle trahison des clercs et des scientifiques.* Ceux-ci, et pour la plupart les Français eux-mêmes, ne revendiquent pas l'usage du français dans les congrès scientifiques et séminaires internationaux. Le « complexe » de l'anglais est toujours là. Dans l'usage de l'anglais, il y a l'idée de modernité, de culture, d'émancipation, alors qu'il ne s'agit que d'un pauvre *sabir*. Peut-être adapté aux échanges en sciences de la nature, de la vie, de la matière et en mathématiques, où les mots et les concepts sont limités et presque univoques, mais qui est totalement inadapté

pour les sciences humaines et sociales. Or, ce sont avec ces sciences que l'on pense la société, la politique, la paix et la guerre. Ici, les mots sont indissociables des concepts. On ne pense pas de la même manière d'une langue à une autre. Parler dans une autre langue, c'est penser autrement, c'est déplacer les raisonnements. Ce n'est pas pour rien que les traductions existent depuis toujours, ainsi que l'herméneutique.

En changeant de langue, on change de mode de pensée, d'imaginaire, de raisonnement, de destinataire. Une langue, c'est une vision du monde. Parler, c'est utiliser toute une représentation du monde et de la société. La traduction rend compte de cette incommunication. Traduire est le *premier* signe de reconnaissance de la cohabitation culturelle. La traduction évite l'illusion du « cosmopolitisme » de la pensée. On peut évidemment utiliser les autres langues, il le faut, comme il faut banaliser l'anglais, mais ne jamais dire que l'on pense de la même manière dans une langue ou dans une autre. Le statut linguistique des connaissances scientifiques constituera un enjeu central de la bataille pour la diversité culturelle. Il y a là un lien direct à établir entre scientifiques et acteurs politiques.

2. *Militer pour le pluralisme linguistique* contre l'unilatéralisme anglophone. Et agir en faveur de *trois langues* – locale, internationale et transfrontalière ou régionale. Cet objectif doit être rappelé, comme

exemple du lien entre la Francophonie *et* la diversité culturelle. C'est aussi rappeler, quel que soit l'élargissement des objectifs de la Francophonie, que l'impératif reste l'*alphabétisation* et l'*apprentissage* de la langue. L'ouverture aux langues locales, indispensable dans le cadre de la mondialisation, doit *aussi* s'accompagner d'une plus grande ouverture « aux langues de France », et à la charte européenne des langues régionales. Défendre la diversité linguistique est la première condition de cette troisième mondialisation dont j'ai parlé dans *L'Autre mondialisation (op. cit.).* La cohabitation culturelle comme contrepoids à la mondialisation économique. Plus l'emprise économique mondiale s'organise, plus il faut organiser la diversité culturelle.

3. *Une politique audiovisuelle plus ambitieuse.* Cela passe par un renforcement indispensable de TV5, seule chaîne francophone, indépendamment de savoir s'il existera ou non une chaîne d'information mondiale française. Sans oublier le rôle essentiel *d'Euronews*, surtout avec l'élargissement de l'Europe. L'AFP (Agence France Presse) et RFI (Radio France Internationale) doivent également être renforcées. Sans parler de la presse écrite francophone laissée de côté, ni des radios et télévisions publiques francophones qui restent un réseau largement sous utilisé. La vérité est que la francophonie manque dramatiquement d'une politique de la

communication. L'organisation est mondiale, les enjeux culturels et politiques sont mondiaux, la politique ne l'est pas.

La politique

La politique est au cœur de la Francophonie, même si cela ne se dit pas nettement, compte tenu de la diversité des régimes politiques, culturels et sociaux qui la composent. Elle est politique au travers de son secrétaire général et de l'action de l'OIF. Elle est politique aussi, notamment depuis la Déclaration de Bamako (novembre 2000), où de plus en plus les orientations de la Francophonie sont réaffirmées dans le cadre de la démocratie, de l'État de droit, de la communauté internationale et des droits de l'Homme.

C'est d'une certaine manière le lien croissant entre langue et culture qui, par extension, oblige à aborder la question politique, d'autant que la polysémie, inhérente à la politique, augmente avec la culture. Mais c'est finalement sur l'horizon d'un certain nombre de valeurs démocratiques liées au respect des droits humains que la Francophonie, courageusement, essaie de se regrouper et de prendre position sur la question du développement durable. En posant la question de la diversité culturelle, la Francophonie pose celle des conditions politiques à la croissance économique. En touchant à l'économie, elle est un exemple typique des difficultés à faire conjuguer universalité des principes démocratiques *et* respect des diversités culturelles. Diversités culturelles qui vont aujourd'hui jusqu'à une réflexion sur la *pluralité* des modèles économiques, réelle nouveauté dans l'histoire de l'économie où domina trop longtemps l'idée qu'il n'existait *qu'un seul* modèle. Un tel exercice suppose de réexaminer les mots qui fondent les rapports entre identité-culture et politique : gouvernance, droits de l'homme, démocratie, développement durable, diversité culturelle.

En réalité, il existe une marge de manœuvre à la Francophonie pour inventer un *nouveau modèle* d'organisation politique. Elle bénéficie d'une certaine stabilité et dynamique liée aux contradictions de la mondialisation. Elle peut rebondir sur les événements. À condition d'être beaucoup plus vigilants sur les *territoires-fractures* comme les Comores, Madagascar, Haïti où le Vanuatu.

De même, la Francophonie est-elle confrontée, avec l'élargissement à l'Europe des 27, au défi d'un changement de *statut.* L'élargissement lui est favorable à la condition d'un réel investissement intellectuel, culturel et historique car ces pays, souvent de tradition partiellement francophone, s'inscrivent toutefois dans des logiques qui n'ont rien à voir avec la colonisation.

L'Europe *bouscule* les frontières traditionnelles de la Francophonie et la détache encore un peu plus de son histoire coloniale. Tant mieux.

Au-delà de l'Europe, la Francophonie peut jouer un rôle considérable dans la construction de ce que j'appelle la *troisième mondialisation*, celle qui intègre la culture à côté de l'économie et de la politique. D'autant que les contractions liées à la mondialisation économique sont des accélérateurs des contradictions. Elle peut contribuer à éviter ce qui pourrait être le résultat de la mondialisation économique : une lutte des classes au plan mondial. Comme l'Europe en a connu une, entre le XIXe et le XXe siècle. Avec la mondialisation, le choix est la cohabitation culturelle à l'échelle du monde, *ou* la lutte des classes à la même échelle…

Quatre actions

1. *Le fait religieux et la politique.* La Francophonie, qui rassemble de nombreuses religions et des régimes politiques différents, ne peut rester longtemps silencieuse sur les rapports religion-politique qui sont au cœur de la plupart des conflits politiques mondiaux depuis quinze ans. D'autant que la *laïcité* « à la française » s'impose parfois dans des discours, mais n'est plus toujours comprise. De nombreux pays fran-

cophones, et arabophones, ont été blessés par la manière dont, lors du débat sur le voile en 2004, la France a rappelé sa conception militante de la laïcité. La plupart des autres pays, n'étant pas en position de force politique et culturelle, n'ont pu exprimer leurs réticences, mais il est évident que la position française a suscité beaucoup d'incompréhension. 2005 n'est pas 1905. Demain, la question religieuse traversera la Francophonie. C'est-à-dire celle des *rapports* à établir entre politique, société, culture et religion. Ne pas en parler peut mettre en cause son unité. En parler permettra d'adapter ce concept, éminemment émancipateur à l'heure de la mondialisation. La diversité des racines religieuses, le dialogue interreligieux et les conditions d'une autre laïcité ne sont guère débattus. Si la Francophonie est laïque, c'est aussi à la condition de tenir compte de la diversité des situations culturelles et religieuses.

2. *Les relations avec le monde anglo-saxon.* Celui-ci a longtemps été identifié au camp de la liberté, de l'émancipation et de la modernité. Même si cela ne veut pas toujours dire grand-chose. Y compris pendant la Guerre froide et les luttes de décolonisation. Depuis la chute du communisme et la mondialisation, le statut de puissance impériale des États-Unis accélère le changement de la donne. La liberté repasse du côté de la Francophonie, surtout depuis la guerre du Golfe et de l'Irak. Ce qui permet de renouer avec une

tradition de diplomatie et de concertation bien diffé-
rente de celle d'une politique de puissance. Et la
Francophonie peut alors être un lieu de *débats privilégiés* respectueux des grands enjeux de la planète
concernant l'environnement, la santé, l'éducation, le
développement durable, la pauvreté, la société de
l'information…

3. *L'immigration.* Notamment en Europe où,
depuis trente ans, le débat est encombré par les prises
de position, plus ou moins racistes et populistes, des
partis d'extrême-droite. Réduire au XXIᵉ siècle la question de l'apport des travailleurs étrangers à une logique
d'« immigrés » qu'il faut surveiller et parquer est
indigne des traditions de cohabitation culturelle par
ailleurs proclamées. Les populations « étrangères »
vivant en Europe illustrent plutôt la question du
multiculturalisme quand elles relèvent des Outre-
Mers, ou de la diversité culturelle quand elles viennent
de pays souverains (Maghreb, Turquie…). Elles illustrent cette question essentielle de la cohabitation
culturelle dans un monde ouvert. Ces populations
(sans parler du statut des familles, des femmes, des
enfants) veulent venir travailler dans les pays riches,
qui par ailleurs en ont besoin, sans le dire, y compris
pour des motifs démographiques non avoués… Et l'on
continue de traiter ces populations sur le plan sani-
taire, social, culturel et éducationnel comme si l'on
était encore dans les années 1970.

Le silence de la Francophonie sur les conditions de l'accueil de l'immigration, notamment en France, n'est pas compatible avec les idéaux proclamés par ailleurs en faveur de la diversité culturelle. La Francophonie peut d'ailleurs chaleureusement remercier le Canada et le Québec qui pallient les effets de cette politique malthusienne des visas de la France. Politique restrictive, totalement antinomique avec la tradition et les idéaux avancés. Comment parler de la patrie des droits de l'Homme, de la France terre d'asile, carrefour des cultures, et continuer une politique de plus en plus étroite et bureaucratique en matière de visas ? Là aussi, la France est victime de la pression de l'extrême-droite. Le grand écart entre les mots et les faits est catastrophique. Augmenter le nombre de visas à entrées multiples est une condition indispensable pour adapter la Francophonie à la mondialisation.

4. *Devenir un espace de la diversité.* La Francophonie est encore trop attachée à la rigidité française dont elle doit s'émanciper, et qui en retour sera un enrichissement pour la France. Le monde a besoin d'un lieu de délibération à côté des structures de l'ONU. La Francophonie pourrait offrir cet espace politique de débats où il y aurait une attention à la diversité linguistique, religieuse, un respect des racines historiques et des métissages. Autrement dit, une sorte d'*espace public tolérant.* Doublé d'ailleurs d'un espace de diplomatie.

Les deux sont complémentaires. La diplomatie s'installe plus facilement dans un espace libre de débats que dans un espace fermé et secret. Il ne s'agit pas de se substituer à l'ONU et à l'Unesco, mais d'offrir un espace *supplémentaire* de dialogue. Cette évolution serait conforme aux statuts qu'affiche la Francophonie, et l'on verrait d'ailleurs que les débats qui l'animent, en interne, sont les mêmes que ceux qui existent dans le monde. En s'occupant des *autres* problèmes du monde, elle relativiserait certaines de ses divisions.

L'économie

En ouvrant la boîte de Pandore de la mondialisation économique, la Francophonie pose explicitement la question de l'existence *d'autres* modèles de rationalité que le modèle anglo-saxon dominant. Question sacrilège, d'autant que la libéralisation qui a prévalu dans la globalisation économique, depuis les années 1980, et encore plus depuis la chute du communisme, semble légitimer le modèle anglo-américain visible également dans les grandes instances de l'ONU (FMI, Banque mondiale, …). Et ce malgré les crises économiques et sociales qui, dans plusieurs pays, ont marqué cette mondialisation économique.

En s'immisçant dans la mondialisation économique, même timidement, la Francophonie introduit un réel facteur de diversité culturelle. Elle ose rappeler que l'économie est une science humaine et sociale et que si les hommes produisent et vendent dans tous les pays du monde, la manière de le faire change radicalement. D'autant qu'avec la mondialisation de l'information, ces différences seront paradoxalement de plus en plus visibles, créant la nécessité de dépasser le monopole culturel économique anglo-saxon dominant depuis le XXe siècle. La Francophonie, avec quelques autres, pose la question de ce que j'appelle le troisième pilier de la mondialisation, c'est-à-dire la diversité culturelle. Ce fameux troisième pilier, assez largement sous-évalué, sera demain déterminant : la diversité culturelle est une condition du développement économique.

La Francophonie rappelle ainsi l'importance des données culturelles à la fois pour l'économie et au-delà de l'économie, d'autant que les pays qui la composent sont très souvent parmi les pays les moins avancés (PMA), en tout cas beaucoup moins riches et développés que ceux du Commonwealth.

Le niveau de développement n'est pas la condition *sine qua non* pour dire quelque chose sur les modèles de développement car, à ce compte, depuis toujours les pauvres et les dominés n'auraient qu'à se taire… En même temps, les PMA ne sont pas dupes de cette inégalité de la mondialisation et sont sensibles aux propositions alternatives que la Francophonie, avec d'autres, peut essayer de faire.

Deux options complémentaires s'ouvrent à la Francophonie : intervenir au niveau des grandes entreprises mondiales francophones pour faire entendre un autre type de rationalité économique de gestion, de rapports sociaux, une autre manière d'aborder la mondialisation ; d'autre part, se saisir du dossier de développement durable, et y apporter sa contribution.

L'enjeu est évidemment l'introduction d'un élément de diversité par rapport à la rationalité anglosaxonne. Mais il faut pour cela que les grandes entreprises mondiales francophones s'émancipent elles-mêmes de ce schéma. Non seulement l'anglais est la plupart du temps la langue de travail internationale des conseils d'administration, mais tout, des cadres, aux styles et aux références, reste aligné sur le modèle anglo-saxon. La montée de l'antiaméricanisme dans le monde, la redécouverte d'un monde multipolaire, l'éveil de la Chine et de l'Inde sont autant de facteurs qui vont accentuer une prise de conscience de la nécessité d'un changement.

Concernant le développement durable, la question est plus complexe. La Francophonie n'a aucune compétence spécifique dans ce domaine. Elle n'est pas un bailleur de fonds, mais un partenaire de coopération. Présente sur tous les continents, elle souligne l'importance de la diversité et du comparatisme. L'apport de la Francophonie est de rappeler l'importance de la diversité culturelle, des droits de l'Homme, des ressources humaines, de l'État de droit, des cadres juridiques stables, le respect des relations de travail, l'obligation d'une meilleure répartition des richesses… Cette dimension socio-culturelle, apparemment secondaire, est en réalité de plus en plus importante : chacun étant au courant, par l'information, des profondes inégalités existant dans le monde souhaite à la fois moins d'inégalités économiques *et* plus de dignité sociale et culturelle. Les idéaux de la Francophonie pouvaient paraître superfétatoires dans un modèle de pur libéralisme. Ils deviennent plus importants avec le retour de la pensée critique, symbolisée par le mouvement alter-mondialiste qui réintroduit dans l'économie les valeurs sociales, culturelles et politiques.

Le développement durable, c'est aussi une *autre* idée du développement à inventer avec les populations de moins en moins passives, beaucoup plus informées et moins dociles. La mondialisation est peut-être une logique économique, mais elle a un effet inattendu qui, tel un boomerang, se retournera contre ceux qui croyaient fabriquer des consommateurs et qui se retrouveront face à des citoyens de plus en plus informés. Et critiques.

Trois chantiers

1. *Une réflexion critique* sur le modèle de management des grandes entreprises francophones. Pourquoi miment-elles à ce point le modèle anglo-saxon ? Comme s'il n'y avait qu'un modèle de rationalité économique et de gestion, qu'un seul style. Quotidiennement, les entreprises sont confrontées à la diversité culturelle. Pour le moment, le seul choix, pour les salariés de ces multinationales comme pour les pays d'accueil, est celui de *s'adapter* aux *règles* de l'entreprise installée. Mais avec la multiplication des délocalisations, le pluralisme culturel sera de plus en plus visible. Les directions d'entreprises *elles-mêmes* n'arriveront plus à gérer cette diversité culturelle, alors qu'il suffirait de procéder autrement. Les anglo-saxons dans ce domaine sont paradoxalement en avance sur nous, alors qu'ils sont le modèle dominant. Ils parlent de « management inter culturel », pour tenir compte, déjà, de ces différences.

2. *Le statut* même des industries culturelles et de la communication. Non seulement la Francophonie doit défendre sa propre diversité culturelle, mais elle doit pouvoir agir au niveau mondial pour que la diversité des programmes, dans les médias et, plus généralement, dans le cinéma et les industries du spectacle, soit préservée. On retrouve la bataille centrale pour demain d'une économie de la culture et de la commu-

nication qui ne soit pas dominée par les multinationales anglo-saxonnes. Dans cette bataille, l'Unesco, au travers de la déclaration en faveur de la diversité culturelle en 2001, a pris position. Ainsi que l'Union européenne. La Francophonie doit pouvoir aussi continuer de s'engager, à la suite de la déclaration sur la culture en juin 2001 à Cotonou. Il en est de même pour *Internet* et les systèmes d'information. Le problème central n'est pas seulement l'écart Nord/Sud, mais celui de pouvoir préserver une certaine diversité dans les contenus et les usages. Il est évident que les nouvelles techniques d'information sont perçues au Sud comme une chance à ne pas rater pour accéder à plus d'autonomie et ne pas prendre plus de retard. C'est donc du côté des modèles cognitifs des usages, des contenus, que les questions se posent. Autrement dit, oui à toutes les nouvelles technologies de l'information et de la communication, aux campus numériques, aux batailles pour un Internet francophone. Car les pays du Sud n'ont pas à subir ce décalage technologique, cette injustice supplémentaire. Mais à condition que la Francophonie reste fidèle à ses valeurs : pas de financement des équipements et de l'accès aux programmes sans financement de professeurs et de professionnels – plus il y a de techniques de communication, plus il faut le complément en hommes, et pas l'inverse. D'autant que, plus les individus échangent, plus ils veulent se rencontrer, *la*

communication en définitive est une rencontre physique.
Les moyens financiers pour les réseaux doivent se
doubler d'autant de moyens pour que les hommes se
rencontrent.

3. *Le développement durable.* Jusqu'où la Francophonie peut-elle contribuer à construire un modèle de
développement qui tienne les « deux bouts » : celui de
langue de la culture et de la politique d'une part, celui
de l'économie et de la société de l'autre ? Jusqu'où
faut-il *élargir* à la perspective sociale, culturelle et
politique ? À partir de quand faut-il aussi conserver
l'autonomie de l'économie par rapport au reste ? La
Francophonie pourrait devenir une sorte d'agitateur
d'idées, de « *Think Tank* » pour essayer de mieux
appréhender l'extraordinaire diversité des causes du
développement. Imaginer. Expérimenter. Évaluer.
Débattre. Autrement dit, élargir le cercle des critères
économiques nécessaires à fonder la croissance.

Conclusion

La Francophonie est une aventure très récente.
Elle a moins de trente ans, ce que l'on a tendance à
oublier, tant elle paraît « naturellement » là depuis
toujours. Ceci est un incontestable facteur de légitimité et une raison majeure d'être optimiste. Elle

illustre aussi cette évolution centrale, pour le siècle à venir : *la culture* devient une ressource politique qu'il n'est plus possible de dissocier de la communication. Elle est aussi un exemple des nouveaux rapports entre identité et diversité culturelle. La Francophonie n'est jamais le premier cercle d'alliances et de relations pour les pays qui la composent, chacun, la plupart du temps étant lié à d'autres structures. Mais c'est justement son caractère *libre et transversal* aux continents et aux institutions, qui en fait la force. En tous cas, pas de diversité culturelle sans régulation pour éviter un simple communautarisme. C'est pourquoi il convient de valoriser à la fois la diversité *et* le poids des États-nations, comme amortisseurs de la mondialisation.

Elle est une organisation originale pour gérer les rapports entre langue et histoire d'une part, espaces géographique et culturel d'autre part, recherche de solidarité enfin. Elle essaye de résoudre la triple exigence contemporaine : respect des racines, attirance pour la mobilité, nécessité d'un cadre général.

Cinq thèmes de réflexion apparaissent pour la Francophonie à l'épreuve de la mondialisation :

1. *Les rapports de complexité croissante entre culture et politique*. La Francophonie peut-elle se développer en faisant par exemple un peu plus l'impasse sur la culture qui est toujours un facteur de division, alors même qu'elle met la culture au centre du projet ?

Ou bien au contraire doit-elle, au titre des enjeux du développement durable, souligner immédiatement les liens politiques entre culture et mondialisation ? Doit-elle approfondir le lien langue-culture ou au contraire rester davantage centrée sur les langues ? Jusqu'où faut-il lier langue et politique ? Quel que soit le lien langue – culture – politique – communication, il est évident que la Francophonie ne doit jamais abandonner le centre de son projet lié à l'alphabétisation et l'apprentissage. Pas de culture et de politique sans langue maîtrisée. Elle ne pourra pas non plus échapper à une réflexion sur les rapports entre culture, politique et religion. On comprend que la Francophonie aille très lentement dans ce domaine où elle risque d'éclater sous ses propres contradictions. Mais peut-être trouvera-t-elle aussi, dans ce nouveau contexte, le moyen de refonder la *laïcité*. Inventer un concept de laïcité lié à la mondialisation et qui arrive à conjuguer universalité des principes *et* respect des spécificités culturelles et religieuses.

2. *La capacité de la Francophonie à gérer ces quatre logiques relativement complexes : langue, culture, politique, économie*. On a vu que la dynamique historique a provoqué cet élargissement progressif, à condition qu'il ne soit pas lui-même facteur de contradictions insurmontables. Jusqu'où coordonner ces quatre logiques ? Mal étreindre pour avoir trop voulu embrasser ?

3. *L'originalité de la Francophonie : être à la fois* une activité intergouvernementale, une réalité de société civile, et un militantisme. J'ai souvent dit que le monde ouvert de demain sera plus difficile à gérer que le monde fermé d'hier. Ne serait-ce qu'à cause de l'obligation de gérer les différences, rendues visibles, par la mondialisation de l'information. La contradiction de la Francophonie, qui est de se situer à ces trois échelles (intergouvernementale – sociétale – militante), deviendra alors peut-être, dans ce contexte, une chance plus qu'un handicap.

4. *Les rapports entre mondialisation, réseaux et déplacements.* La force de la Francophonie est moins son réseau que le désir de vouloir se déplacer et pouvoir se rencontrer, pour tous ceux qui ont cette Francophonie en partage. Plus le monde est « interactif », plus ce que lui donnera son sens est la réalité « archaïque » de la rencontre physique. La force de la Francophonie réside dans cette capacité à multiplier les *lieux de rencontre.* Ce qui suppose des budgets substantiels. Autrement dit, demain, les coûts les plus importants ne concerneront pas les systèmes d'information et de communication, mais les moyens de faire se *rencontrer* les hommes. Après tout, c'est cela le plus important dans la communication. Il faut donc favoriser, partout dans le monde, de réelles capacités d'accueil, multiplier les bourses et les visas, et créer une politique digne de migration, afin que la

dimension humaniste soit finalement la marque d'une Francophonie qui revendique cet idéal.

5. *Pourquoi y a-t-il si peu de recherches* sur ce chantier passionnant de la Francophonie ? À quelles conditions pourrait-il y en avoir davantage ? Développer une logique de connaissances est fondamental pour accompagner ce gigantesque projet politique et culturel. Comparer, établir les ressemblances et les différences avec la Lusophonie, le Commonwealth, l'Hispanophonie, l'Arabophonie… Mais cette logique de connaissances doit être respectueuse des différences de *styles.* Car au-delà des connaissances, les identités se jouent sur des styles. Pour accepter les multiples enjeux de la mondialisation et le respect de l'identité, il faut à la fois comprendre ce qui nous ressemble et respecter nos styles.

Bibliographie sélective

ABOU, S., CATALA, P. (dir.), *La Francophonie aux défis de l'économie et du droit aujourd'hui*, Paris, Presses de l'université Saint-Joseph, coll. « Économie », 2002.

BANCEL, N., BLANCHARD, P., VERGES, F., *La République coloniale. Essai sur une utopie*, Paris, Albin Michel, 2004.

CERQUIGLINI, B., *Les Langues de France*, Paris, PUF, 2003.

CHAUDENSSON, R., CALVET, L.-J. (dir.), *Les Langues dans l'espace francophone : de la coexistence au partenariat*, Institut de la Francophonie, Paris, L'Harmattan, coll. « Langues et développement », 2001.

DUMONT, P., *L'Interculturel dans l'espace francophone*, Paris, Montréal, L'Harmattan, 2001.

GILDER, A., SALON, A., *Alerte francophone : plaidoyer et moyens d'actions pour les générations futures*, Paris, éditions Arnaud Franel, 2004.

GOURNAY, B., *Exception culturelle et mondialisation*, Paris, Presses de Sciences Po, 2002.

KESTELOOT, L., *Histoire de la littérature Négro-Africaine*, AUF, Karthala, 2000.

LAULAN, A.-M., *La Résistance aux systèmes d'information*, Paris, Retz, 1985.

LÉGER, J.-M., *La Francophonie : grand dessein, grande ambiguïté*, Montréal, Hurtubise HMH, 1987.

MATTELARD, A., *Histoire de la société de l'information*, Paris, La Découverte, 2001.

OILLO, D., MVÉ-ONDO, B., « Fracture dans la société de la connaissance », *Hermès*, n° 45, 2006.

WIEVIORKA, M., *La Différence*, Paris, Balland, 2001.

WOLTON, D., *L'Autre mondialisation*, Paris, Flammarion, 2003, rééd. coll. « Champs », 2004.

—, *Demain la francophonie*, Paris, Flammarion, 2006.

Glossaire

Communautarisme : terme polémique utilisé, en France, pour qualifier le mode de vie d'une communauté minoritaire devant lequel les idéaux républicains et laïcs devraient s'effacer au nom d'un droit à la différence revendiqué par les minorités. Aux États-Unis, il prend une autre signification : c'est un mouvement de pensée qui s'est développé dans les années 1970, qui fait de la communauté (ethnique, politique, sportive, etc....) une valeur aussi importante, sinon plus que celles « universelles » de liberté. Il s'oppose alors à l'individualisme.

Conseil de l'Europe : fondé en 1949, c'est la doyenne des institutions qui œuvrent en faveur de la construction européenne. Il regroupe 47 pays et vise à renforcer la démocratie et les droits de l'homme.

Cyberespace : dérivé de l'anglais cyberspace, ce terme désigne, d'après le *Petit Robert*, un « ensemble de données numérisées constituant un univers d'information et un milieu de communication, lié à l'interconnexion mondiale des ordinateurs ». Internet est le réseau le plus populaire du cyberespace.

Décloisonnement numérique : il s'agit de permettre aux moins nantis d'accéder à une mondialisation harmonieuse grâce à la possibilité d'accéder aux outils numériques (ordinateurs, Internet…). Par ailleurs, le numérique permet le « décloisonnement » des connaissances en les rendant également disponibles sur la toile.

Dérégulation : elle consiste à supprimer la régulation (par les autorités étatiques) d'un secteur économique (transport, énergie, etc.) pour que puisse jouer librement les mécanismes du marché.

Développement durable : il s'agit d'un mode de développement permettant de répondre aux générations actuelles sans compromettre la capacité des générations futures à répondre aux leurs.

Diversité culturelle : terme qui fait référence à l'existence de cultures différentes à travers le monde et à la nécessité de préserver ces différences. Le 20 octobre 2005, à l'Unesco, a été adoptée la convention sur la protection et la promotion de la diversité des expressions culturelles.

Épistémologie : réflexion philosophique, sur la nature, les méthodes et les concepts de la science.

Internet : réseau informatique mondial qui relie des ordinateurs et permet aux utilisateurs, appelés « internautes », d'accéder à différents services (sites, courrier électronique, etc.).

Hégémonie linguistique : dans le langage courant, l'hégémonie est une domination sans partage. L'hégémonie linguistique est la prédominance d'une langue sur les autres.

Logiciels libres : ce sont des programmes informatiques dont la licence est dite « libre », c'est-à-dire qu'elle permet à tous ceux qui le souhaitent le droit d'utiliser, d'étudier, de modifier, de dupliquer, de donner et de vendre ledit logiciel. À titre d'exemple on peut citer le système d'exploitation Linux.

Mondialisation ou globalisation : ce mot désigne le développement de liens d'interdépendance entre les nations à l'échelle mondiale. Ce phénomène touche la plupart des domaines, mais on l'évoque surtout dans les secteurs de l'économie et de la communication.

Multiculturalisme : c'est un terme sujet à diverses interprétations. Il peut simplement désigner la coexistence de différentes cultures (ethniques, religieuses etc.) au sein d'un même ensemble (pays, par exemple). Il peut aussi désigner différentes politiques volontaristes, anti-discriminatoires, visant à assurer un statut social égal aux membres des diverses cultures.

Multilinguisme : synonyme de plurilinguisme, maîtrise par un individu de plusieurs langues. Le multilinguisme est perçu par ceux qui le défendent comme le meilleur moyen de défendre et promouvoir la diversité culturelle.

Norme ouverte : une norme (une règle) est définie comme ouverte lorsqu'elle a les propriétés suivantes. Elle est accessible à tous, son utilisation n'est soumise à aucune contrainte, son comité de rédaction est ouvert à toutes les parties, elle fonctionne selon un système de revue par les pairs, son comité de rédaction est initialement constitué de personnes dont la compétence est reconnue, elle est évolutive.

Savoir et connaissance : en français, le terme de savoir a un sens qui ne coïncide pas exactement avec celui de *connaissance* alors que l'anglais utilise *knowledge* dans tous les cas. La psychologie cognitive distingue les *savoirs* des *connaissances* : les savoirs sont des données, des concepts, des procédures ou des méthodes qui existent hors de tout sujet connaissant ; les connaissances, par contre, sont indissociables d'un sujet connaissant.

Société civile : terme qui a de nombreux sens, mais que nous définirons, ici, comme l'ensemble des citoyens d'une communauté politique (ville, nation, Europe, etc.), agissant de façon indépendante des États dans un cadre associatif.

Sigles

AIF :   Agence intergouvernementale de la franco-phonie.

AUF :   Agence universitaire de la francophonie.

OIF :   Organisation internationale de la franco-phonie.

AIMF :   Association internationale des maires fran-cophones.

APF :   Assemblée des parlementaires de la franco-phonie.

CNRS :   Centre national de la recherche scientifique.

Les auteurs

Michel Arnaud, *professeur à l'université Paris X Nanterre.*

Louis-Jean Calvet, *professeur à l'université de Provence, Institut de la Francophonie, Aix-en-Provence.*

Alain Kiyindou, *maître de conférences à l'université Robert Schuman de Strasbourg, président de la Société française des sciences de l'information et de la communication.*

Anne-Marie Laulan, *professeure émérite de sociologie à l'université de Bordeaux III*, membre du programme MOST à l'Unesco.

Patrice Meyer-Bisch, *philosophe, coordonnateur de l'Institut interdisciplinaire d'éthique et des droits de l'Homme, et de la chaire Unesco des droits de l'Homme et de la démocratie de l'université de Fribourg (Suisse).*

Bonaventure Mvé-Ondo, *recteur honoraire de l'université Omar Bongo, philosophe, vice-recteur à l'Agence universitaire de la Francophonie.*

145

Didier Oillo, *professeur titulaire, directeur de l'innovation par les TICE à l'Agence universitaire de la Francophonie, Paris.*

Dominique Wolton, *directeur de la revue Hermès et directeur de l'Institut des sciences de la communication du CNRS (ISCC).*

Table des matières

TITRES PARUS D'HERMÈS

Les textes de la revue sont accessibles
sur le site de la revue Hermès et de l'Inist :
http://irevues.inist.fr/hermes
Http://www.wolton.cnrs.fr

Dans la même collection

Déjà parus
L'espace public, coordonné Eric Dacheux
La Communication politique, coordonné par Arnaud Mercier

À paraître en janvier 2009
L'opinion publique, coordonné par Nicole D'Almeida
Les identités collectives à l'heure de la mondialisation, coordonné par Bruno Ollivier
Journalisme, coordonné par Arnaud Mercier et François Heinderyckx

À paraître en mai 2009
Audience, coordonné par Régine Chaniac
La communication télévisuelle, coordonné par Guy Lochard
Réception, coordonné par Cécile Méadel

À paraître en septembre 2009
TIC et société de la connaissance, coordonné par Michel Durampart et Jean-Paul Lafrance
Les sciences de l'information et de la communication, coordonné par Éric Dacheux
Le populisme, coordonné par M. Lits et Bernard Valade

Achevé d'imprimer en septembre 2008
sur les presses de la Nouvelle Imprimerie Laballery
58500 Clamecy
Dépôt légal : septembre 2008
Numéro d'impression : 808165

Imprimé en France

La Nouvelle Imprimerie Laballery est titulaire du label Imprim'Vert®